72 Hours at the Crap Table

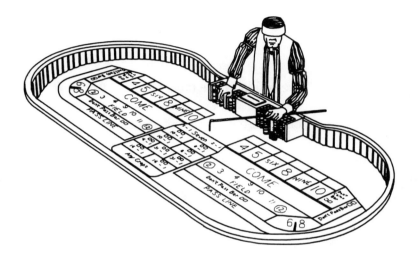

compiled by
B. Mickelson

Press

630 South 11th Street
Las Vegas, Nevada 89101

HOW TO USE THIS BOOK

Anyone with a system for beating the crap table will be wise to test and retest before going into live action. The accepted opinion is that the perfect system will never be found but when gambling at casino games some system, method or plan is essential. To play indiscriminately is a sure way to loose one's money. Equally important is that the game is much more interesting when thoroughly understood and really becomes a challenge when some form of money management is used to overcome the negative expectation.

With some definite wagering plan follow the actual rolls of the dice to test the result of your "system." To go through the entire book simulates a three day siege at the table and is a good test, but not conclusive. Any plan that shows promise should be tested further at low minimum tables before any serious playing is considered.

The numbers are true recordings of crap table rolls. Each line is a new shooter and an indented line is the continuation of the same shooter. The hardway 4, 6, 8 and 10 are printed in bold type. The first line on page 1 reads -- "The shooter came out with a hard 6 (3-3), then rolled 10, 3, 2 and a loser 7. The next line is the next shooter who came out with a 6 easy way (4-2 or 5-1), and the the very next roll a loser 7. A new shooter on line 3 came out with a crap 3 which loses. His next come out roll was a natural 7, a winner, then a point 10 which he made the next roll; then another crap (12) which loses again. He came out with easy 6, rolled 4 and then a loser 7 to complete his hand.

The right side of the page repeats each player's hand in abbreviated form. O Missout, X Pass, C Craps, B Crap 12, and 2 Crap 2. The third line reads Crap 3, Pass, Pass, Crap 12 and a Missout.

The line at the bottom of each page repeats the pass-missout decisions in graph form, the small o's being passes and the squares missouts. The come out rolls of 12 are indicated by the blackened squares.

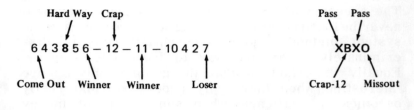

Recap of 72 Hours at the Crap Table

Shooters 1829	Total Rolls 14,967	Decisions 4525
Pass Line Winners 2152	Come Out Roll of 12 129	Don't Pass Winners 2244
Pass Line Losers 2373		Don't Pass Losers 2152

Point	2	3	4	5	6	7	8	9	10	11	12
Actual Rolls	401	853	1236	1668	2008	2574	2081	1601	1253	875	417
Theory Rolls	416	832	1248	1664	2080	2496	2080	1664	1248	832	416

Runs-Pass Line	1	2	3	4	5	6	7	8	9	10	11	12	13
	613	282	121	69	30	16	4	1	0	3	1	0	1

Runs-Don't Pass	1	2	3	4	5	6	7	8	9	10	11
	552	264	160	59	36	19	12	5	1	1	1

14,967 rolls is a relatively short test considering the Crap table on which these rolls occurred is operated 24 hours a day, 365 days a year. This sample leans toward Don't Pass. The next 24 hours may favor Pass Line.

6 10 3 2 7	O
6 7	O
3 − 7 − 10 10 − 12 − 6 4 7 —	CXXBO
2 − 4 3 8 8 7	2O
3 − 9 3 10 7	CO
8 6 9 4 9 7	O
9 10 6 10 8 8 2 6 5 7	O
6 6 − 5 8 8 12 6 8 7	XO
8 8 − 7 − 9 10 7	XXO
4 8 4 − 4 3 4 − 11 − 2 − 5 11 7 —	XXX2O
6 6 − 8 7	XO
7 − 6 10 4 7	XO
8 10 11 5 2 8 − 4 12 6 6 6 6 7	XO
2 − 7 − 4 5 7	2XO
7 − 12 − 9 8 5 9 − 8 6 7	XBXO
8 5 8 − 10 8 6 3 6 8 8 8 8 8 9 3 7	XO
8 7	O
6 9 6 − 6 9 10 10 8 11 10 5 6 − 5 3 4 8 7	XXO
6 4 11 6 − 3 − 6 5 5 9 12 7	XCO
9 7	O
8 6 10 11 5 5 9 5 9 4 8 − 3 − 8 5 7	XCO
4 10 8 6 8 5 5 5 3 10 5 7	O
8 8 − 6 6 − 10 8 5 10 − 5 6 11 2 11 8 4 9	XXX
12 10 5 − 6 5 9 8 5 5 7	XO
9 6 7	O
6 7	O
2 − 9 7	2O
8 4 4 8 − 7 − 7 − 5 7	XXXO
9 7	O
10 7	O
3 − 6 10 7	CO
10 8 7	O
7 − 11 − 9 7	XXO
9 9 − 7 − 7 − 5 9 7	XXXO

5

14
P 14   15

12 − 4 10 6 8 9 9 2 4 − 8 7	BXO
9 6 9 − 12 − 9 9 − 7 − 7 − 8 10 7	XBXXXO
5 10 5 − 7 − 3 − 9 6 12 9 − 11 − 9 12 5 8 9 −	XXCXXX
7 − 5 7	XO
7 − 3 − 8 8 − 8 6 7	XCXO
9 9 − 6 8 7	XO
8 6 11 10 3 7	O
8 9 8 − 4 5 6 6 7	XO
9 3 4 11 5 7	O
5 11 5 − 6 3 9 5 3 8 8 10 4 4 4 4 4 5 8 11	X
11 10 10 5 4 12 8 4 7	O
10 8 3 11 6 3 7	O
9 6 3 6 11 14 9 − 9 7	XO
7 − 11 − 3 − 3 − 10 7	XX CCO
5 10 10 9 12 7	O
3 − 7 − 5 7	CXO
6 10 9 5 9 6 − 11 − 6 8 4 5 7	XXO
9 4 8 5 5 9 − 5 7	XO
10 9 9 9 7	O
6 7	O
8 7	O
5 7	O
7 − 8 8 − 8 8 − 6 7	XXXO
7 − 7 − 12 − 8 6 8 − 5 7	XXBXO
4 7	O
6 6 − 4 7	XO
4 4 − 6 10 6 − 5 7	XXO
11 − 4 9 3 5 3 7	XO
11 − 4 7	XO
6 8 8 6 − 5 2 6 3 8 12 3 7	XO
6 9 6 − 9 8 12 9 − 7 − 9 8 7	XXXO
4 5 5 10 6 2 10 9 11 3 9 12 7	O
6 11 3 10 5 4 5 12 7	O
6 7	O

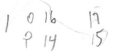

```
 * 3 − 4 12 9 7                                      CO
   7 − 4 6 11 7                                      XO
 ٤ 5 8 7                                             O
   12 − 8 11 6 8 − 8 6 7                             BXO
 * 66 − 5 7                                          XO
   5 6 11 11 3 8 10 10 6 10 9 6 6 7                  O
 ٤ 11 − 6 7                                          XO
 ٤ 6 2 8 7                                           O
   7 − 7 − 5 7                                       XXO
   8 3 8 − 5 10 5 − 5 11 9 5 − 2 − 6 3 3 7           XXX2O
 ٤ 88 − 6 10 7                                       XO
 * 8 5 7                                             O
 _ 11 − 11 − 6 9 12 10 6 − 7 − 5 8 6 11 14 7         XXXXO
 ٤ 8 7                                               O
   4 7                                               O
   6 3 6 − 8 5 9 9 10 8 − 11 − 4 8 3 12 5 9 5 6      XX
      11 9 7                                            XO
 ٤ 5 6 8 4 9 6 8 8 7                                 O
 ٤ 5 7                                               O
 ٤ 8 6 7                                             O
   4 7                                               O
   7 − 4 11 7                                        XO
   2 − 6 5 6 − 11 − 6 10 10 10 7                     2 XXO
   8 6 3 9 8 − 7 − 2 − 9 6 7                         XX2O
 ٤ 8 9 6 10 11 10 8 − 7 − 8 7                        XXO
   7 − 6 9 6 − 2 − 2 − 7 − 7 − 6 10 8 6 −            XX22XXX
      7 − 7 − 7 − 9 5 9 − 6 7                           XXXXO
 ٤ 9 12 5 6 7                                        O
   10 7                                              O
   9 9 − 7 − 4 8 11 5 4 − 10 9 8 10 − 10 4 8         XXXX
      6 4 8 9 8 4 6 5 11 6 4 8 9 10 − 8 6 10         XXXX
      5 5 5 10 2 6 8 − 8 4 12 8 − 7 − 8 9 4 8 −      XXO
      7 − 8 9 6 10 7
```

7

7 − 12 − 12 − 5 6 11 5 − 7 − 5 6 2 5 − 12 −	**XBBXXXB**
11 − 5 4 6 10 8 7	**XO**
8 8 − 9 8 6 7	**XO**
5 4 8 4 9 8 4 9 6 3 5 − **8** 5 4 3 4 12 9 9 5 7	**XO**
2 − 7 − 10 7	**2XO**
7 − **8** 11 7	**XO**
9 6 8 9 − 7 − 6 6 − 10 11 7	**XXXO**
10 7	**O**
6 5 **6** − 11 − 8 6 9 9 11 8 − 8 6 5 9 7	**XXXO**
10 **6** 9 11 5 9 5 7	**O**
5 10 3 3 7	**O**
12 − 10 8 7	**BO**
5 9 8 2 6 **4** 6 9 7	**O**
8 11 3 9 9 7	**O**
8 7	**O**
9 8 8 5 6 **8** 6 12 5 4 5 7	**O**
7 − 7 − 4 5 4 − 5 12 9 4 10 12 12 11 4 4 6	**XXX**
10 8 2 9 8 7	**O**
2 − 10 5 7	**2O**
10 11 7	**O**
5 5 − 6 **6** − 7 − 8 10 8 − 6 9 9 11 9 2 3 8 6 −	**XXXXX**
5 11 8 12 9 7	**O**
5 3 9 6 4 12 6 5 − 9 7	**XO**
10 8 **8** 8 11 8 12 10 − 9 8 5 6 6 11 11 9 −	**XX**
9 8 3 7	**O**
6 7	**O**
8 12 7	**O**
8 2 5 4 8 − 8 8 − **10** 11 8 8 9 12 9 3 5 3 6 5 7	**XXO**
5 3 9 8 6 11 6 **10** 10 8 7	**O**
7 − 7 − 9 11 11 3 7	**XXO**
9 9 − **10** 2 7	**XO**
6 7	**O**
8 7	**O**
7 − 2 − 2 − 4 5 7	**X22O**
10 12 8 5 9 5 10 − 4 11 5 7	**XO**
7 − 7 − 8 4 5 7	**XXO**
7 − 8 **8** − 5 7	**XXO**

°■■°°

8

66 − 7 − 6 4 5 6 − 11 − 6 **6 − 4** 9 9 6 9 10 7	XXXXXO
4 4 − 2 − 9 4 9 − 4 6 7	X2XO
⸰ 11 − 6 3 10 9 7	XO
3 − 7 − 8 5 4 7	CXO
10 8 9 8 8 2 4 5 6 7	O
⸰ 9 6 7	O
7 − 6 2 6 − 2 − 11 − 6 8 5 3 12 5 7	XX2XO
9 7	O
6 10 7	O
9 10 4 11 10 **6** 2 4 12 8 5 11 7	O
- 9 7	O
6 7	O
7 − 4 2 7	XO
6 6 − **8** 11 6 5 6 6 9 **8** − 9 10 3 4 8 4 3 7	XXO
4 10 5 5 8 7	O
⸰ 6 7	O
9 5 5 4 7	O
4 9 7	O
88 − 3 − 5 3 5 − 11 − 6 9 8 7	XCXXO
6 7	O
5 6 7	O
4 7	O
10 11 8 7	O
3 − 7 − 6 7	CXO
4 7	O
6 3 3 5 7	O
9 10 9 − 3 − 8 4 6 6 3 9 4 8 − 10 11 5 6 8 7	XCXO
3 − 12 − 12 − 6 4 8 11 **6** − 8 8 − 7 − 12 −	CBBXXB
4 4 − 5 7	XO
8 10 **8** − 3 − 5 9 9 4 8 7	XCO
8 3 7	O
⸰ 6 6 − 9 7	XO
12 − 6 11 8 7	BO
8 7	O
2 − 8 10 4 8 − 6 9 9 10 9 10 7	2XO

∞∞∞∞°□°□°□°□□°□□□°∞°□°□□□□□□°□°∞°□□□□□°□°∞□□□□□°□□□°□°□□■■°∞∞°■°□°□□□°□■□□□°□

10 8 3 4 **6** 5 6 4 6 5 7	O
4 7	O
10 7	O
5 7	O
8 8 − 6 4 8 7	XO
7 − 10 9 4 **6** 9 **10** − 7 − **6** 5 8 7	XXXO
6 7	O
8 5 2 9 8 − 5 2 7	XO
7 − 9 7	XO
3 − 5 9 5 − 8 7	CXO
5 11 7	O
7 − 3 − 7 − 5 3 3 7	XCXO
2 − 7 − 12 − **10 6** 4 10 − 12 − 9 8 8 3 **4** 11 6 7	2XBXBO
6 10 7	O
7 − 9 6 7	XO
10 5 7	O
4 4 − 10 4 9 6 8 2 12 8 **4 8 10** − 5 7	XXO
7 − 6 9 9 5 7	XO
9 7	O
11 − 3 − 6 7	XCO
10 **4 4** 6 6 7	O
11 − 7 − 7 − 4 6 7	XXXO
10 8 9 7	O
4 8 5 8 6 4 − 3 − 5 5 − 8 9 3 5 4 7	XCXO
3 − 4 7	CO
9 8 7	O
9 8 9 − 3 − 6 11 7	XCO
11 − 7 − 9 4 7	XXO
7 − 5 5 − 8 11 **10** 6 7	XXO
8 7	O
4 5 8 10 **6** 7	O
5 10 5 − 8 7	XO
9 8 7	O
9 6 9 − 10 3 10 − 5 8 **6** 5 − 7 − 10 7	XXXXO
7 − 6 6 − 5 **6** 3 5 − 8 8 − 7 − 5 4 6 11 7	XXXXXO

□□□□°₀°°°°□□°₀°□□°□□°□□°■°■□□°°□□°□□□°□□□°°°□□°₀°□□□□°□□°□°°°□□°°□□°°°°₀°°°°°₀

10

4 9 8 10 5 5 10 7	O
5 7	O
10 3 8 5 9 **8** 9 9 2 8 9 7	O
5 6 **8** 10 3 8 7	O
8 7	O
7 − 11 − 6 7	XXO
~~7 − 9~~ 7	XO
10 7	O
8 4 6 6 6 **6 4** 11 6 9 5 4 8 − 6 7	XO
12 − 8 **8** − 11 − 3 − 8 6 **6 8** − 8 5 4 **6 6 6** 9 3 7	BXXCXO
9 10 **6** 9 − 9 8 5 7	XO
3 − 5 5 − 7 − 6 7	CXXO
7 − 7 − 9 11 9 − 8 **8** − 2 − 5 5 − 10 2 9 6 **6**	XXXX2X
11 11 4 12 9 8 11 7	O
3 − 7 − 2 − 11 − 9 6 4 7	CX2XO
5 4 5 − 3 − 6 3 11 5 9 3 7	XCO
5 5 − **8** 5 10 4 2 5 11 7	XO
3 − 7 − 6 4 6 − 8 5 3 3 6 8 − 6 4 2 **6** −	CXXXX
8 6 5 12 12 8 − 8 9 **10** 8 − 6 4 7	XXO
8 12 4 7	O
8 9 9 9 5 6 9 7	O
8 6 5 8 − 6 9 9 10 7	XO
7 − 6 12 2 8 12 7	XO
9 7	O
7 − 8 8 − 5 4 7	XXO
9 7	O
9 5 3 6 7	O
6 6 − 5 9 10 7	XO
8 6 8 − 6 4 3 10 12 7	XO
9 10 12 6 7	O
5 7	O
7 − 8 7	XO
12 − 9 11 8 3 6 10 10 6 9 − 8 **10** 5 **10** 7	BXO
7 − 9 9 − 6 7	XXO
10 7	O
7 − 9 10 7	XO

□□□□□□°°°□°□□°□■°°□°°°□□°□°□°□□°°□□°°°□°□□°□°□°□°□□°□□°°°°°°°□□□°□°□□°°□□□°□°°□□□°°□□°□■°□°°□□°□°

12 − 5 11 3 9 10 3 7	BO
8 9 9 9 10 7	O
7 − 9 10 5 7	XO
5 11 10 10 4 6 9 2 6 4 4 10 2 11 8 6 5 −	X
6 4 9 10 6 − 3 − 9 7	XCO
9 10 6 4 5 5 8 2 5 6 8 10 11 7	O
10 11 5 9 3 6 5 6 6 4 7	O
6 3 11 8 6 − 9 9 − 11 − 7 − 6 7	XXXXO
9 7	O
7 − 4 7	XO
5 6 6 8 5 − 7 − 11 − 6 8 6 − 5 7	XXXXO
12 − 5 4 5 − 6 7	BXO
8 10 5 12 6 11 6 9 5 7	O
7 − 9 5 2 8 4 7	XO
7 − 10 5 8 9 12 9 6 3 8 11 7	XO
4 8 8 7	O
8 6 5 6 7	O
4 12 4 − 10 4 5 12 11 6 6 12 2 7	XO
7 − 11 − 5 10 7	XXO
7 − 5 9 8 7	XO
3 − 9 7	CO
5 10 4 5 − 6 12 7	XO
10 4 11 6 5 5 10 − 10 7	XO
6 11 9 9 7	O
3 − 7 − 5 6 6 6 5 − 7 − 2 − 6 12 7	CXXX2O
7 − 6 10 4 8 10 3 6 − 3 − 3 − 4 10 7	XXCCO
10 10 − 5 6 4 3 5 − 8 10 9 5 8 − 5 9 6 8 8 9 4 6	XXX
9 9 10 5 − 9 11 5 9 − 2 − 9 9 − 4 7	XX2XO
5 7	O
6 9 8 9 9 7	O
7 − 8 7	XO
12 − 4 8 7	BO
4 4 − 7 − 10 8 3 7	XXO
6 11 11 7	O
8 8 − 12 − 8 5 7	XBO

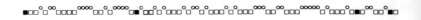

6 7	O
11 − 4 5 5 11 2 9 7	XO
11 − 4 7	XO
7 − 10 5 6 11 6 8 3 8 8 4 2 7	XO
6 3 9 3 6 − 4 6 9 8 **10** 4 − 5 8 6 6 6 10 9 **8** 8 4 7	XXO
7 − 4 8 5 10 9 9 **4** − 12 − 5 7	XXBO
8 9 **6** 10 6 **10 10** 5 7	O
3 − 7 − 5 6 9 8 11 9 7	CXO
8 8 − **10** 6 8 4 2 6 9 7	XO
7 − 6 3 3 **6** − 5 7	XXO
11 − 11 − 10 2 4 3 11 6 5 5 10 − 10 8 6 11	XX
4 6 4 7	XO
6 **10** 6 − 3 − 3 − 12 − 5 5 − 5 8 5 − 6 7	XCCBXXO
10 4 10 − 11 − 9 8 **4** 10 5 3 3 6 5 7	XXO
5 7	O
5 12 7	O
8 4 7	O
5 6 7	O
9 8 9 − 6 **4** 2 5 8 12 8 9 6 − 4 6 **10** 7	XXO
7 − **6** 8 9 6 − 9 **6** 7	XXO
8 6 8 − 9 7	XO
12 − 8 10 7	BO
9 7	O
10 6 11 10 − 11 − 5 7	XXO
4 7	O
6 8 4 **6** − 10 8 11 9 **8** 4 3 5 10 − 5 7	XXO
4 5 **10** 5 11 3 4 − 10 4 9 5 5 7	XO
7 − 6 6 − 3 − 7 − 8 4 8 − 5 7	XXCXXO
9 10 6 4 **8** 3 10 7	O
5 3 8 3 **10** 4 3 7	O
8 7	O
3 − 10 9 7	CO
8 9 7	O

7 − 12 − 9 10 6 **8 4** 3 3 9 − 3 − 8 10 8 −	**XBXCX**
11 − 7 − 8 5 8 − 5 3 8 5 − 6 2 6 − 5 7	**XXXXXO**
8 9 9 5 2 11 7	**O**
3 − 11 − 9 9 − 6 5 11 5 12 8 3 3 7	**CXXO**
3 − 6 5 5 7	**CO**
6 7	**O**
3 − 7 − 9 5 5 3 7	**CXO**
9 **10** 5 10 7	**O**
2 − 8 7	**2O**
7 − 8 9 10 7	**XO**
10 11 12 10 − 5 **6** 7	**XO**
11 − 4 **10** 11 7	**XO**
9 4 6 9 − 7 − 6 **6** − **8 6** 6 9 9 9 6 7	**XXXO**
3 − 12 − 11 − **6** 5 5 11 6 − 7 − 3 − 3 − 2 −	**CBXXX**
9 4 7	**CC2O**
7 − 6 9 **8** 6 − 8 6 6 9 4 3 7	**XXO**
7 − 3 − 11 − 8 11 7	**XCXO**
7 − 7 − 4 8 10 8 3 8 7	**XXO**
6 7	**O**
3 − 5 11 5 − 4 3 5 5 10 5 11 9 9 8 6 12 9	**CX**
5 9 10 8 7	**O**
9 6 8 10 5 9 − 12 − 5 8 7	**XBO**
4 6 10 11 6 5 8 3 5 7	**O**
4 6 11 7	**O**
12 − 7 − 8 7	**BXO**
3 − 5 6 6 4 7	**CO**
11 − 8 7	**XO**
8 8 − 9 5 11 7	**XO**
7 − 9 10 7	**XO**
7 − **8 6** 9 7	**XO**
5 9 2 10 8 2 5 − **4** 7	**XO**
9 5 2 5 12 8 6 5 8 10 8 8 8 **6 4 8** 12 8 4 7	**O**
2 − 7 − 5 11 7	**2 XO**

11 – 8 4 8 – 9 **10** 3 7	XXO
11 – 6 9 9 10 5 **10** 6 – 7 – 9 8 8 9 – 7 – 8 8 –	XXXXX
8 8 – 11 – 11 – 11 – 9 8 **4** 6 **8** 3 9 – **10** 9 8 9 5	XXXXX
9 6 8 8 12 6 8 **10** – **10** 8 11 5 **10** – 8 **10** 10 7	XXXO
• **6** 10 6 – **4** 7	XO
12 – 11 – 11 – 9 4 6 **10** 7	BXXO
• 9 11 5 3 7	O
7 – 7 – 10 5 7	XXO
• 6 8 3 7	O
8 9 6 **8** – 3 – 8 4 9 6 10 7	XCO
10 11 7	O
7 – 5 6 7	XO
• 2 – 5 7	2O
7 – 5 4 7	XO
• 7 – 5 8 11 4 7	XO
2 – 2 – 7 – 5 6 6 8 7	22XO
• **4** 8 6 8 7	O
7 – 7 – 5 5 – **10** 9 8 3 10 – 5 5 – 9 9 – 5 5 –	XXXXX
11 – 10 8 **6** 11 5 11 7	XXXO
11 – 5 8 11 8 8 9 11 **6** 8 10 6 7	XO
7 – 9 7	XO
• **4** 6 7	O
11 – **6** 12 11 10 5 5 7	XO
• 6 8 9 7	O
2 – 6 3 **6** – **4** 5 4 – 7 – 5 6 **6** 6 6 11 6 5 –	2XXXX
8 9 **6** 4 5 10 4 8 – 5 6 10 5 – 8 7	XXO
7 – 5 7	XO
5 6 5 – 7 – 12 – 5 10 3 11 7	XXBO
3 – 7 – 4 10 **10** 6 5 4 – **4** 7	CXXO

8 6 9 7	O
4 4 − 5 11 6 10 7	XO
6 6 − 7 − 10 11 9 6 7	XXO
8 8 − 5 10 5 − 6 6 − 7 − 9 11 7	XXXXO
12 − 8 7	BO
6 4 5 8 6 − 5 6 6 4 4 10 5 − 9 7	XXO
8 4 7	O
7 − 7 − 6 10 10 9 7	XXO
5 6 8 10 10 8 8 5 − 7 − 8 5 9 8 − 12 − 7 −	XXXBX
6 9 12 5 4 11 5 6 − 6 6 − 5 5 − 5 7	XXXO
11 − 10 4 8 5 6 8 8 8 6 7	XO
4 5 7	O
2 − 11 − 10 5 4 6 3 7	2XO
8 9 11 8 − 9 5 11 3 8 9 − 9 3 6 11 6 8 10 7	XXO
5 5 − 9 7	XO
3 − 6 10 7	CO
9 9 − 2 − 12 − 8 6 10 5 7	X2BO
9 8 8 4 3 5 9 − 10 10 − 5 5 − 12 − 9 4 7	XXXBO
3 − 8 8 − 6 7	CXO
3 − 9 5 7	CO
9 7	O
8 2 6 6 9 3 9 6 7	O
7 − 8 4 6 4 7	XO
6 9 6 − 11 − 3 − 12 − 5 10 4 5 − 7 − 4 7	XXCBXXO
10 5 7	O
9 11 7	O
4 3 7	O
6 10 10 5 10 7	O
10 7	O
6 9 10 9 6 − 8 7	XO
9 4 10 4 6 4 7	O
4 7	O
7 − 4 11 12 6 5 8 6 11 11 8 10 3 9 2 10 7	XO

6 9 6 − 3 − 8 7	XCO
5 7	O
8 9 7	O
5 9 9 4 6 6 8 5 − 8 5 8 − 12 − 3 − 4 5 5 7	XXBCO
6 8 9 7	O
10 7	O
6 3 8 4 8 11 6 − 2 − 6 4 9 9 9 10 5 12 6 −	X2X
3 − 9 7	CO
6 6 − 3 − 5 9 6 9 8 9 4 11 6 7	XCO
8 4 10 6 6 3 11 4 8 − 12 − 10 9 10 − 10 4 7	XBXO
8 8 − 4 4 − 9 4 9 − 11 − 11 − 6 12 9 9 **10** 11 9 7	XXXXXO
7 − 11 − 9 6 11 3 11 7	XXO
6 4 6 − 11 − 7 − 7 − 9 7	XXXXO
8 7	O
7 − **4** 3 7	XO
8 12 8 − **4** 5 5 7	XO
7 − 10 3 5 6 **4** 10 − 9 7	XXO
4 **10** 5 7	O
12 − 3 − 6 11 **10** 6 − 9 6 7	BCXO
11 − 6 **6** − 8 10 9 3 3 7	XXO
12 − **8** 7	BO
9 8 10 10 11 7	O
2 − 10 7	2O
3 − 8 11 9 4 10 6 5 3 5 8 − 8 6 9 9 8 − **8** 8 −	CXXX
3 − 6 7	CO
9 10 7	O
12 − 4 6 7	BO
5 7	O
7 − 8 8 − 3 − 8 8 − 6 7	XXCXO
4 **6** 7	O
7 − 8 7	XO
10 12 10 − 10 **6** 9 9 7	XO

17

3 − 6 3 6 − 5 7	CXO
6 10 7	O
7 − 6 10 8 5 7	XO
9 7	O
7 − 12 − 3 − 10 3 8 7	XBCO
11 − 7 − 7 − 8 8 − 6 5 10 7	XXXXO
12 − 2 − 6 7	B2O
8 9 6 10 7	O
7 − 6 4 8 5 11 9 11 9 5 7	XO
6 6 − 6 5 7	XO
8 10 4 4 11 3 7	O
8 7	O
3 − 10 7	CO
6 6 − 9 7	XO
6 9 6 − 6 7	XO
8 9 8 − 8 7	XO
6 9 9 5 8 10 9 3 8 9 7	O
11 − 8 4 8 − 4 6 4 − 3 − 5 7	XXXCO
10 9 9 5 4 7	O
6 11 7	O
2 − 7 − 3 − 12 − 7 − 8 7	2XCBXO
4 11 5 7	O
7 − 7 − 4 6 12 3 8 4 − 6 7	XXXO
4 8 4 − 10 6 8 2 8 7	XO
7 − 5 6 4 2 8 11 8 7	XO
7 − 8 7	XO
3 − 4 6 12 11 7	CO
5 2 4 4 8 4 9 4 9 8 5 − 5 4 8 7	XO
6 9 8 8 6 − 5 9 6 6 12 7	XO
5 7	O
6 5 5 7	O
6 8 9 6 − 7 − 6 7	XXO
7 − 9 11 11 7	XO
5 6 11 7	O
6 9 5 6 − 4 8 7	XO
3 − 11 − 11 − 4 5 11 11 4 − 5 4 9 8 7	CXXXO

5 5 − 5 8 11 7	XO
11 − 4 7	XO
، 8 5 7	O
ℓ 12 − 2 − 6 5 2 2 9 7	B2O
4 **4** − 9 8 8 3 11 10 7	XO
₵ 5 4 **10** 6 7	O
10 3 5 6 4 5 11 8 12 2 8 **8** 6 7	O
5 6 5 − 9 9 − 10 8 6 9 11 9 8 2 12 12 3 3 4 8 9 7	XXO
↑ 8 6 11 11 10 6 5 **8** − 6 8 7	XO
10 **4** 8 9 8 3 5 8 6 8 5 9 6 7	O
· 8 6 8 − 6 8 5 4 6 − 9 11 6 5 9 − 5 6 5 − 6 11	XXXX
3 4 9 5 9 4 8 **10** 5 9 2 **10** 6 − 7 − 9 12 **10** 9 −	XXX
10 8 **8** 6 7	O
7 − 8 3 5 5 10 11 6 5 8 − 3 − 8 3 2 8 −	XXCX
5 11 10 9 7	O
↙ 5 4 8 **6** 3 6 8 9 7	O
6 6 − 7 − 4 8 3 5 5 **6** 7	XXO
↗ 10 5 8 6 6 7	O
7 − 9 5 6 9 − 4 7	XXO
↗ 11 − 9 7	XO
7 − 3 − 8 7	XCO
8 8 − 6 10 5 6 − 9 7	XXO
↙ 8 8 − **4** 8 5 2 5 7	XO
11 − 4 9 8 10 5 6 7	XO
⋅ 2 − 6 2 5 5 7	2O
10 11 10 − 6 **10** 9 11 4 11 5 7	XO
7 − 2 − **10** 5 10 − 5 4 7	X2XO
⋅ 6 9 9 9 4 7	O
⋅ 9 3 6 8 7	O
3 − 9 4 9 − 5 7	CXO
8 9 5 3 8 − 6 4 10 10 5 11 **8** 5 3 5 5 9 6 −	XX
8 9 7	O
₹ 5 7	O
10 6 9 7	O
↓ 6 10 7	O
11 − 9 7	XO
7 − 5 6 9 6 7	XO
8 10 8 − 2 − 9 3 8 10 9 − 5 **4** 11 3 7	X2XO

°₀°₀°□□■□□₀°₀□□□°₀□□□∞₀°₀°□□∞∞∞∞∞∞₀°∞₀°₀□□∞□□°₀°₀°□□∞₀°₀°□□□°₀°□□□∞₀□°□□□□°₀°□□°₀°□□

19

7 − 8 2 6 9 8 − 9 6 8 9 − 9 **10** 9 − 10 11 9 6 7	**XXXXO**
3 − 7 − 6 7	**CXO**
4 5 5 5 7	**O**
• 12 − 8 8 − 4 5 8 7	**BXO**
• 12 − 5 6 4 11 4 7	**BO**
10 5 5 5 5 4 7	**O**
6 4 9 6 − 9 7	**XO**
• 11 − 8 9 11 4 7	**XO**
8 4 5 **4** 6 5 6 9 6 6 5 10 **6** 3 4 4 9 11 10 5 5	
11 5 9 **10 10** 2 6 5 7	**O**
7 − 6 **4 4** 12 6 − 8 6 7	**XXO**
• 9 8 6 5 7	**O**
ʹ 9 8 7	**O**
8 9 8 − **6** 11 11 8 **6** − 6 5 11 5 12 5 8 7	**XXO**
ʹ 5 8 8 11 8 2 7	**O**
• 2 − 10 7	**2O**
✐ 6 6 − 10 7	**XO**
› 8 5 10 10 9 7	**O**
‹ 5 12 8 **6** 7	**O**
• 4 9 7	**O**
⁑ 9 6 8 7	**O**
ʹ 8 4 **6** 8 − 8 4 10 9 6 10 7	**XO**
8 9 6 8 − 3 − 8 6 3 8 − 5 7	**XCXO**
6 3 9 6 − 6 10 2 9 10 8 6 − 5 10 12 3 3 9 7	**XXO**
› 6 9 4 10 5 7	**O**
5 5 − 2 − 5 3 9 4 8 7	**X2O**
⊁ 2 − 10 8 6 4 **6 8** 6 9 12 3 7	**2O**
⟍ 8 6 2 9 3 4 7	**O**
‹ 8 7	**O**
8 9 9 6 5 9 10 3 6 6 8 − 2 − 4 7	**X2O**
• 6 3 7	**O**
7 − 7 − 10 4 2 7	**XXO**
7 − **4** 11 8 6 4 − 8 **8** − 5 5 − 9 7	**XXXXO**
• 2 − 8 7	**2O**
7 − 11 − 8 8 − 7 − 3 − 5 3 7	**XXXXCO**
7 − 6 11 8 10 10 6 − 3 − 5 4 12 9 12 10 10 7	**XXCO**

3 − 9 9 − 12 − 12 − 6 8 **4** 7	**CXBBO**
◂ 11 − 8 12 10 7	**XO**
7 − 4 8 8 7	**XO**
⁄ 6 4 12 5 5 3 8 12 9 6 − 6 9 8 7	**XO**
◥ 9 4 4 6 7	**O**
⁄ 6 6 − **6 8** 7	**XO**
7 − 5 6 7	**XO**
5 **10** 5 − 3 − **10** 5 9 6 5 9 8 5 9 9 9 10 − 4 7	**XCXO**
9 10 11 3 8 10 8 5 **6** 8 9 − 7 − **4** 4 − 4 7	**XXXO**
6 8 9 8 10 9 10 3 6 − 10 7	**XO**
9 8 11 8 **10** 6 6 9 − 3 − 7 − 10 5 6 9 6 10 −	**XCXX**
8 8 − 8 10 12 2 12 4 7	**XO**
11 − 10 3 11 8 12 10 − 5 8 **8** 5 − 6 3 9 5 4 7	**XXXO**
11 − 5 10 3 **8** 8 4 12 5 − 5 8 5 − 8 7	**XXXO**
10 10 − 8 7	**XO**
● 3 − 4 9 7	**CO**
▸ 8 6 7	**O**
7 − 12 − 8 11 6 8 − 12 − 11 − 3 − 8 8 − 11 −	**XBXBXC**
3 − 2 − 5 7	**XXC2O**
❘ 5 10 6 6 7	**O**
◂ 5 8 4 7	**O**
◂ 2 − 4 7	**2O**
12 − 8 **4** 3 3 8 − 3 − 3 − 7 − 6 7	**BXCCXO**
◂ 9 7	**O**
4 6 6 8 10 7	**O**
7 − 5 10 8 6 7	**XO**
11 − 2 − 9 8 7	**X2O**
▸ 8 7	**O**
◂ 8 5 5 **4** 11 6 7	**O**
4 7	**O**
⫽ 8 10 4 7	**O**
4 3 **6** 7	**O**
◂ 2 − 4 6 9 8 10 9 12 7	**2O**

8 7	O
8 8 − 7 − **10** 10 − 4 4 − 6 6 − 5 7	XXXXXO
6 5 11 3 4 4 8 5 7	O
7 − 7 − 9 2 **10** 7	XXO
7 − 5 11 **4** 3 7	XO
6 8 11 5 **10 6** − 7 − 7 − 11 − 10 3 9 3 5 3 8	XXXX
9 6 3 11 **4 4** 9 6 7	O
7 − 5 5 − 7 − 9 4 2 8 7	XXXO
9 7	O
7 − 10 9 11 8 8 7	XO
2 − 6 8 **6** − 8 11 5 7	2XO
5 8 10 9 11 9 7	O
3 − 9 11 7	CO
10 8 6 9 10 − 3 − 11 − 9 12 3 11 12 5 **6** 7	XCXO
7 − 5 5 − 10 12 9 7	XXO
11 − 6 6 − 4 8 11 **6** 9 5 6 5 8 6 6 7	XXO
7 − 6 11 6 − 7 − 5 7	XXXO
6 5 4 9 5 11 11 9 12 7	O
7 − 10 3 10 − 5 7	XXO
8 4 8 − 8 **6** 10 7	XO
7 − 4 5 8 8 11 8 10 11 6 11 6 8 **6** 5 3 10 8 5 7	XO
9 7	O
9 7	O
7 − 8 9 7	XO
2 − 5 8 8 7	2O
7 − 6 4 4 8 4 4 7	XO
5 4 7	O
4 9 4 − 10 6 4 4 10 − 4 11 **6** 6 4 − 9 5 11 9 −	XXXX
8 6 2 4 9 4 **8** − 9 4 5 8 7	XO
8 7	O
5 6 5 − 8 6 7	XO
6 6 − 3 − **4** 5 3 8 6 5 7	XCO
10 11 4 8 **6** 4 3 8 8 10 − 5 6 12 9 6 8 3 9 9 9 7	XO
9 **6** 10 4 6 9 − 7 − 8 8 − **8** 12 7	XXXO

22

· **8 9** 6 9 7	O
10 6 5 4 8 10 − 4 3 10 6 11 10 8 5 10 8 4 − 7 −	XXX
11 − 8 5 7	XO
· **6** 7	O
ₑ 5 10 6 4 7	O
10 4 8 7	O
9 9 − 9 7	XO
4 8 11 4 − 6 11 **6** − 6 5 3 5 5 **4 10** 10 7	XXO
12 − 7 − 9 7	BXO
⁕ 8 9 11 9 12 4 6 3 11 7	O
12 − 7 − 4 5 2 5 6 6 4 − 9 7	BXXO
₊ 5 10 6 8 6 12 7	O
↲ 5 **8** 7	O
9 8 11 9 − 5 **4** 5 − 3 − **6 10** 8 5 9 4 **10** 6 − 10 7	XXCXO
7 − 7 − 3 − 6 10 8 12 7	XXCO
7 − 7 − 9 7	XXO
8 5 8 − 7 − 5 11 6 6 3 6 **10** 5 − 6 7	XXXO
10 3 9 3 8 10 − 11 − **6** 7	XXO
▾ 5 11 7	O
⊦ 6 7	O
11 − **8** 12 11 3 9 6 8 − 6 10 7	XXO
10 **4** 4 9 10 − 8 3 4 **10** 9 2 **6** 8 − 6 4 9 7	XXO
◂ 9 8 7	O
⁎ 8 11 9 5 6 6 6 6 9 7	O
↷ 10 8 7	O
↗ 8 10 8 − 6 4 5 5 10 11 7	XO
5 9 **4** 4 11 4 8 5 − **6 8** 5 9 7	XO
7 − 11 − 7 − 9 8 5 6 4 8 6 3 10 7	XXXO
10 7	O
⁎ 5 6 11 9 8 8 7	O
7 − 10 5 11 9 8 9 4 10 − 7 − 11 − 8 6 7	XXXXO
8 8 − 10 6 11 8 3 10 − 7 − 3 − 7 − 9 8 8 7	XXXCXO
⁕ 9 5 **10** 8 7	O
⊾ 5 4 7	O
⁕ 8 12 4 7	O
ₑ 5 7	O
⁎ 8 4 7	O

□°°°°□□□□°□·°°°□□■°□□■°°°□□□°°°□·°°°°□°□°°°□°°°□°□°°°□□□°□°°°□·°°°°□·°°°□·□·°□□□□□□

4 4 − 6 8 7	**XO**
7 − 5 5 − 7 − **10** 8 **10** − 12 − 4 4 − 6 10 5 8 8	**XXXXBX**
12 5 6 − 7 − 9 8 4 8 8 12 9 − 7 − 6 11 3 5	**XXXX**
4 11 5 9 5 12 5 10 **4** 7	**O**
⅄ 5 9 3 7	**O**
12 − **6** **6** − 9 7	**BXO**
7 − 7 − **8** 8 − 4 6 7	**XXXO**
7 − 11 − 6 3 **6** − 7 − 6 10 12 2 7	**XXXXO**
7 − 3 − 7 − 7 − 9 9 − 6 11 5 5 7	**XCXXXO**
10 2 7	**O**
∮ 10 4 4 7	**O**
5 3 9 3 6 10 5 − 7 − 5 12 7	**XXO**
⅃ 9 7	**O**
5 8 12 5 − **4** 4 − 9 8 4 6 5 10 5 6 **10** 11 5 6 6 **9** −	**XXX**
8 6 7	**O**
3 − 5 5 − 4 3 11 3 **4** − 7 − 7 − 5 7	**CXXXXO**
6 2 8 9 9 4 11 **4** 4 3 6 − 3 − 7 − 3 − 3 − 4 11 7	**XCXCCO**
7 − 11 − 6 10 7	**XXO**
11 − 5 7	**XO**
⅃ 7 − 6 7	**XO**
6 10 3 9 11 6 − 3 − **6** **6** − 3 − 3 − 6 7	**XCXCCO**
7 − 7 − 6 **6** − 6 9 11 7	**XXXO**
⅃ 9 4 6 8 **6** 4 5 7	**O**
10 9 **10** − 3 − 7 − 6 7	**XCXO**
⅃ 6 2 7	**O**
⅌ 9 5 7	**O**

11 − 3 − 2 − 7 − 8 6 8 − 8 10 3 6 **10** 5 7	**XC2XXO**
9 **8** 5 8 9 − 8 5 12 7	**XO**
7 − 6 4 9 8 9 9 4 8 9 5 5 **10 6** − 3 − 7 − 9 11 7	**XXCXO**
✺ 7 − 8 4 7	**XO**
✹ 6 8 8 8 9 8 9 7	**O**
⚹ 6 4 **6** − 8 4 10 4 9 7	**XO**
6 4 3 9 6 − 8 8 − 6 7	**XXO**
10 4 8 6 9 3 7	**O**
◔ 6 12 9 2 9 2 4 5 6 − 7 − 9 5 7	**XXO**
◔ 7 − 6 7	**XO**
10 8 6 9 7	**O**
10 7	**O**
9 3 5 9 − 8 **8** − 2 − 12 − **6** 7	**XX2BO**
4 10 7	**O**
7 − 9 **8 8** 3 10 3 4 9 − 9 7	**XXO**
11 − 3 − 7 − 8 7	**XCXO**
4 5 10 7	**O**
3 − 7 − 8 7	**CXO**
3 − 7 − 7 − 7 − **8 6** 6 3 8 − 5 5 − 7 − 7 − 4 3 8 3 5 2 7	**CXXXXX XXO**
10 8 6 7	**O**
7 − 11 − 6 12 11 10 5 2 3 4 7	**XXO**
3 − 6 6 − 8 10 7	**CXO**
7 − 5 7	**XO**
✹ 9 8 7	**O**
3 − 7 − 12 − 8 5 4 3 6 3 11 4 5 6 8 − 9 6 11 10 7	**CXBX O**
6 9 6 − 3 − 10 7	**XCO**
⚹ 8 4 8 − 10 8 6 8 8 12 7	**XO**
⚹ 2 − 4 6 8 9 7	**2O**
5 5 − 6 9 9 9 9 5 7	**XO**

°□□°°□°□°°□°□°□□°□°°□□□°°□°□□□°□°□□□°■□□°°□°□°°□□□□°°□°°□°□□□°□□°°□□□□□□□□°□□°°□□□°□°□□□°°□°□□°□°□□□°□

6 3 6 − 7 − 6 6 − 9 6 5 10 3 9 − 6 7	XXXXO
7 − 6 8 6 − 7 − 7 − 10 4 4 6 12 9 8 11 11 6 7	XXXXO
10 10 − 10 4 2 11 9 7	XO
2 − 9 6 11 8 8 4 10 7	2O
8 6 8 − 6 6 − 7 − 8 6 7	XXXO
8 4 12 6 12 4 7	O
6 6 − 7 − 6 7	XXO
7 − 6 10 9 8 10 8 11 10 11 4 7	XO
3 − 9 9 − 7 − 8 4 3 8 − 7 − 6 5 7	CXXXXO
8 4 4 3 11 6 4 4 8 − 9 7	XO
6 6 − 3 − 4 9 7	XCO
11 − 7 − 5 4 8 5 − 12 − 10 6 10 − 7 −	XXXBXX
7 − 8 11 6 9 7	XO
6 5 8 2 6 − 5 7	XO
10 3 7	O
9 11 8 10 7	O
3 − 10 7	CO
4 4 − 8 8 − 4 7	XXO
4 2 8 7	O
10 7	O
12 − 8 7	BO
10 8 7	O
11 − 3 − 2 − 7 − 6 7	XC2XO
5 9 2 6 4 7	O
7 − 7 − 6 4 4 4 7	XXO
11 − 9 8 11 7	XO
9 7	O
10 4 6 7	O
4 8 10 3 8 6 11 10 11 7	O
8 6 8 − 11 − 7 − 6 7	XXXO
3 − 4 7	CO
3 − 5 9 10 7	CO

10 10 − 8 2 6 5 7	XO
5 9 6 5 − 11 − 8 11 4 8 − **10** 4 2 10 − 7 −	XXXXX
10 10 − 9 7	XO
4 9 4 − 5 3 **4** 9 7	XO
6 10 8 6 − 10 5 7	XO
7 − 5 3 5 − 5 5 − 2 − 3 − 6 7	XXX2CO
5 9 9 12 4 8 9 **10** 2 5 − 4 5 8 8 8 **10** 8 12	XX
8 6 **4** − 8 7	O
4 7	O
8 4 3 **8** − **6** 10 9 7	XO
4 12 6 8 8 10 4 − **4** 8 8 6 7	XO
4 8 3 8 2 8 **8** 4 − 9 2 8 8 8 9 − 4 7	XXO
6 11 8 6 − 5 7	XO
12 − 6 6 − **4 10 10** 3 8 11 **8** 7	BXO
7 − 4 8 8 8 7	XO
3 − 5 6 8 6 2 9 5 − 7 − 6 9 7	CXXO
5 9 7	O
6 5 9 9 7	O
8 2 9 5 9 3 8 − 5 3 6 8 7	XO
11 − 2 − 7 − 2 − 9 7	X2X2O
9 9 − 7 − 5 8 2 9 8 5 − 7 − 10 7	XXXXO
7 − 7 − 8 6 7	XXO
11 − 9 8 5 8 9 − 7 − **6** 8 9 6 − 10 11 10 − 4 **8** 7	XXXXXO
10 9 5 **10** − 6 9 10 3 8 8 7	XO
5 6 7	O
3 − 4 11 11 **4** − 7 − 8 9 9 6 7	CXXO
10 12 8 5 2 7	O
2 − 6 **8 8** 10 7	2O
9 5 **6** 5 8 7	O
7 − 7 − 11 − 9 4 10 2 7	XXXO

9 6 9 − 8 **10 8** − 4 **6** 8 4 − 7 − 5 9 10 9 4	XXXX
4 6 9 9 3 8 8 9 12 6 7	O
7 − 7 − 11 − 8 8 − 11 − 9 6 7	XXXXXO
4 9 **4** − 7 − 8 3 **10** 10 **6** 12 7	XXO
⸰ 8 9 7	O
10 8 10 − 6 10 3 9 7	XO
4 5 5 5 5 8 8 10 6 9 8 7	O
3 − 5 8 6 8 9 12 4 5 − 9 27	CXO
⸰ 7 − 6 12 7	XO
↗ 8 6 11 9 10 **6** 9 4 **8** − 6 7	XO
11 − 8 5 6 8 − 8 8 − 8 11 8 − 7 − 6 9 4 9 7	XXXXXO
11 − 7 − **8** 5 7	XXO
7 − 4 5 **10** 8 9 6 3 6 3 6 3 8 5 3 7	XO
4 8 10 4 − 11 − **4** 5 3 10 6 5 10 9 9 10 3 8	XX
9 5 6 4 − 12 − 5 3 9 7	XBO
⸰ 6 8 7	O
7 − 10 5 **6 6** 5 5 7	XO
4 8 9 8 12 6 6 10 4 − 8 9 7	XO
4 8 5 8 9 12 7	O
6 5 4 6 − 3 − 6 8 3 5 5 6 − 6 9 6 − 4 8 10 2 7	XCXXO
11 − 10 3 7	XO
6 **6** − 3 − 5 8 8 8 7	XCO
⸰ 9 7	O
9 5 **8** 6 5 11 9 − 6 5 8 10 5 **10** 10 6 − 3 −	XXC
4 10 8 9 3 6 9 11 3 9 5 5 5 7	O
⸰ 7 − **8 4** 3 9 10 5 11 7	XO
12 − 10 5 12 **6 8** 5 8 9 10 − 9 8 7	BXO
3 − 6 3 7	CO
4 8 2 7	O
11 − 11 − 6 4 7	XXO
10 8 9 8 3 3 4 6 9 4 6 8 9 9 7	O
4 9 10 12 6 9 3 6 6 7	O
4 5 8 11 6 10 8 7	O
⸰ 5 7	O

∞∞∞◻∞∞∞∞◻∞◻◻◻◻◻◻◻◻∞∞∞∞◻∞◻◻◻∞∎◻◻◻◻◻◻◻∞◻◻∎∎◻◻◻◻∞◻◻◻◻◻

28

10 10 − 3 − 9 11 6 8 11 7	XCO
↟ 6 5 9 10 9 5 7	O
4 5 7	O
3 − 5 8 6 5 − 7 − 5 9 8 10 6 8 5 − 9 9 −	CXXXX
5 10 9 9 10 4 9 5 − 9 4 6 4 6 5 7	XO
9 8 10 3 **10** 8 12 9 − 8 **10** 5 6 8 −	XX
8 4 5 2 6 12 11 12 9 7	O
↟ 8 7	O
⟋ 6 8 6 − 8 7	XO
11 − 10 **10** − 12 − 4 7	XXBO
9 9 − 6 7	XO
9 9 − 4 **8** 7	XO
4 10 6 10 10 8 8 4 − 10 3 6 7	XO
↟ 7 − 12 − **8** 2 7	XBO
10 8 7	O
11 − 7 − 7 − 3 − 11 − 9 6 **6** 8 7	XXXCXO
10 9 4 7	O
↟ 8 4 9 4 6 6 9 6 9 7	O
9 4 8 4 3 6 8 6 9 − 7 − 7 − 9 10 10 3 8 11 10	XXX
10 8 5 5 5 6 4 12 6 7	O
7 − 5 8 6 **10** 10 8 5 − **10** 2 5 2 7	XXO
4 7	O
2 − 7 − 7 − 7 − 8 **8** − 2 − 6 7	2XXXX2O
↟ 6 7	O
8 8 − 6 9 6 − 9 6 3 7	XXO
↟ 6 6 − 5 8 7	XO
↟ 9 10 8 11 7	O
↟ 6 12 8 **10** 7	O
↟ 6 11 7	O
↟ 6 8 11 12 11 7	O
7 − 9 7	XO
8 8 − 11 − 4 6 11 3 8 8 9 7	XXO
6 9 6 − 4 11 2 6 5 4 − 12 − 8 **10** 6 5 8 −	XXBX
3 − 11 − 10 2 3 7	CXO
↟ 8 7	O

°□□□□□□ °°°°° □ °°□□ □ °°■□ °□°□°□ ■□°°°°□ °□□□ °°°□°°□□□°°°□□□°□°□□□□□□°□°□□°□°°□□

88 − 55 − 834598 − 7 − **89 4**5 8 −	XXXXX
12 − 468987	BO
7 − 9589 − 957	XXO
867	O
10483547	O
87	O
657	O
9 11 6 8 10 8 5 9 − 4 9 8 11 7	XO
44 − **46 4** − 10 7	XXO
10 3 **10** − 7 − 7 − 9 **10** 7	XXXO
47	O
5 10 5 − 11 − 4 10 5 2 8 6 12 3 3 12 4 −	XXX
6 11 7	O
7 − 7 − 11 − 6 3 11 3 11 8 6 − 11 − 10 12 5	XXXXX
9 9 9 9 5 7	O
10 4 7	O
7 − 10 5 10 − 8 8 − 6 6 − 10 9 6 5 **6** 5 12 8 7	XXXXO
9 7	O
4 9 3 7	O
8 6 5 8 − 3 − 8 11 5 10 5 7	XCO
7 − 11 − 5 4 7	XXO
7 − 9 5 7	XO
4 9 6 8 7	O
4 9 6 5 5 **6** 8 7	O
6 8 7	O
12 − **10** 6 6 6 6 11 8 11 7	BO
9 7	O
8 12 **10** 6 7	O
10 5 5 3 7	O
3 − 8 7	CO
9 6 **6** 3 7	O
7 − **4** 5 6 2 6 7	XO
9 5 9 − 3 − 8 9 7	XCO
8 4 5 5 10 12 **4** 5 11 3 5 5 7	O
6 9 10 8 7	O
5 **8** 8 5 − 7 − **10** 8 5 6 9 6 **4** 6 5 6 8 7	XXO
7 − 8 7	XO

4 8 5 3 12 6 7	O
⌐6 7	O
12 − 4 3 9 4 − 9 9 − 7 − 4 8 3 5 8 **8** 5 8	BXXX
11 **6** 9 7	O
➤8 10 5 8 − 9 7	XO
10 10 − 7 − 5 12 9 3 7	XXO
➤6 8 9 6 − **10** 4 **6** 9 12 7	XO
4 4 − 7 − 9 5 6 4 9 − 7 − 3 − 6 6 − 7 −	XXXXCXX
6 11 9 7	O
10 6 7	O
4 **4** − 2 − **8** 9 4 5 6 6 **6** 5 2 9 **10** 9 4 5 7	X2O
❝ 9 10 **10** 7	O
9 11 12 8 6 11 8 10 8 **10** 6 9 − 6 5 8 7	XO
❝ **8 10** 7	O
❝ 6 8 2 5 7	O
❝ 9 6 8 7	O
❝ 9 12 8 **4 6** 11 8 7	O
➤ **8** 6 5 2 7	O
7 − 2 − 8 9 11 5 5 **4** 10 3 3 5 8 − 7 − 6 8 7	X2XXO
6 8 3 4 6 − 5 9 5 − 8 6 7	XXO
➤ 12 − 8 5 **4 3** 5 9 7	BO
6 **6** − 6 9 6 − 6 10 4 7	XXO
6 6 − 11 − 10 12 **8** 5 6 3 9 8 7	XXO
➤ 3 − 11 − 10 7	CXO
8 11 4 12 5 6 7	O
5 3 5 − 10 7	XO
4 7	O
12 − 9 9 − 11 − 8 7	BXXO
10 6 10 − 6 9 6 − 11 − 5 7	XXXO
10 8 5 10 − 7 − 7 − **10** 10 − 7 − 3 − 12 −	XXXXXCB
2 − 10 6 8 **10** − 7 − 7 − 5 7	2XXXO
4 8 9 8 8 9 4 − 12 − **8** 6 3 8 − 8 5 7	XBXO

□□■^{°°°}□°□^{°°}□°□°□□^{°°°°}^{°°}□□°□□□°□□□□□□□°□^{°°}□^{°°}□□■^{°°}□^{°°°}□°□□°□□■^{°°}□^{°°°}□^{°°°°°}□□■^{°°}□°□°□

7 − 7 − 7 − 9 4 4 5 5 9 − 6 8 11 4 9 8 8 7	XXXXO
4 7	O
7 − 5 **4** 7	XO
4 8 12 6 2 10 6 9 7	O
11 − 4 12 5 12 12 5 5 5 6 6 8 8 7	XO
7 − 6 **6** − 8 3 7	XXO
2 − 6 7	20
5 11 8 8 6 2 7	O
5 7	O
5 8 7	O
5 8 6 9 10 8 7	O
11 − 9 6 9 − 12 − 11 − 7 − 10 6 4 7	XXBXXO
7 − 6 9 8 5 6 − 9 7	XXO
8 2 9 7	O
11 − 8 7	XO
3 − 6 11 7	CO
10 6 8 8 3 10 − 7 − 5 7	XXO
8 5 4 3 7	O
3 − 7 − 3 − 4 6 5 11 10 8 **8** 4 − 5 11 10 7	CXCXO
8 8 − 7 − 7 − 8 9 5 **6** 6 6 8 − 3 − 8 6 **7**	XXXXCO
7 − 10 7	XO
9 2 7	O
7 − 9 6 7	XO
11 − **8** 12 6 7	XO
7 − 7 − 3 − 3 − 6 6 − 11 − **6** 4 7	XXCCXXO
3 − 10 11 3 7	CO
6 7	O
5 6 **10** 6 4 **6 10** 6 8 12 9 5 − 7 − 6 11 7	XXO
11 − 10 8 6 11 7	XO
5 7	O
9 **6** 9 − 4 7	XO
10 6 **6 6** 9 4 9 5 8 8 6 3 5 **10** − 10 7	XO
5 11 **10** 9 7	O
6 5 7	O
9 7	O

7 – 3 – 6 7	**XCO**
4 9 11 7	**O**
9 12 8 7	**O**
7 – 7 – 5 8 8 6 6 5 – 4 7	**XXXO**
7 – 6 6 – 7 – 9 11 **10** 3 4 7	**XXXO**
10 8 6 7	**O**
11 – 10 6 6 12 7	**XO**
2 – 4 10 11 **4** – 12 – 12 – 8 8 – 11 – 3 – 11 –	**2XBBXXCX**
7 – 4 8 **10** 9 7	**XO**
6 10 9 9 **10** 9 7	**O**
5 8 **10** 3 4 7	**O**
5 5 – 6 7	**XO**
5 5 – 7 – 3 – 12 – **10** 5 10 – 5 8 6 9 8 5 –	**XXCBXX**
5 7	**O**
7 – 9 11 10 4 5 6 7	**XO**
7 – 6 **8 2 6** – 3 – 5 2 10 7	**XXCO**
10 7	**O**
5 11 **4** 10 3 7	**O**
5 9 **8** 6 7	**O**
12 – **10** 9 4 6 7	**BO**
5 3 10 3 10 9 6 6 5 – 11 – 10 11 9 6 7	**XXO**
9 8 4 6 6 8 4 3 12 7	**O**
9 5 7	**O**
10 10 – 8 8 – 9 10 6 9 – 12 – 5 12 7	**XXXBO**
7 – 7 – 7 – 9 6 5 8 8 9 – 10 8 4 8 6 4 6 4 3 7	**XXXXO**
2 – 6 7	**2O**
5 6 5 – 2 – 10 1 8 10 – 10 2 8 **8** 2 5 10 – 7 –	**X2XXX**
4 11 9 9 4 – 7 – 7 – 9 11 7	**XXXO**
3 – 5 7	**CO**
5 7	**O**
7 – 6 5 **6** – **8** 4 4 12 4 10 **6 10** 11 11 7	**XXO**

4 5 5 8 6 4 − 3 − 5 12 7	XCO
⟋ 8 11 5 6 2 10 4 6 7	O
⟋ 5 3 9 10 8 9 2 11 8 7	O
11 − 6 5 5 2 8 2 6 − 8 8 − 7 − 7 − 9 3 7	XXXXXO
9 2 8 12 9 − 6 6 − 11 − 8 **8** − 3 − 8 10 10 8 −	XXXXCX
4 11 7	O
11 − 8 6 9 3 6 5 8 − 5 5 − 8 8 − 8 6 4 4 9 **8** −	XXXXX
9 5 8 3 5 9 − 3 − **10** 8 4 4 2 **4** 6 8 7	XCO
⟋ 7 − 6 7	XO
⟍ 5 3 8 9 10 10 8 7	O
3 − 3 − 7 − 5 8 6 5 − 6 **6** − 9 10 7	CCXXXO
⟋ **8** 11 **4** 7	O
⟋ 6 3 8 6 − 10 7	XO
⌃ 12 − 6 **8** 7	BO
⟋ 8 6 8 − 5 11 7	XO
⟍ 5 7	O
8 8 − 7 − 7 − 5 7	XXXO
⟋ 9 7	O
10 **4** 11 5 3 7	O
⟋ 3 − 6 **8** 11 5 12 10 12 7	CO
5 8 5 − 7 − 8 8 − **8** 6 3 9 **8** − 9 7	XXXXO
' 6 2 7	O
⟍ 9 7	O
⟍ 9 7	O
7 − 5 10 **4** 7	XO
7 − 2 − 9 7	X2O
7 − 7 − 8 2 7	XXO
12 − 9 **4 8 8** 6 2 6 11 11 8 2 7	BO
7 − 5 7	XO
4 3 8 5 12 6 6 7	O
⟍ 5 12 9 7	O
⟍ **8** 7	O
⟋ 3 − 6 7	CO
⟍ 8 3 5 5 11 6 5 4 4 11 6 7	O

°□□□□□°□°°°°°°□□°°°°□°°□°°°°°°°°□□°□□□□°°°□□°□■□□°°□□□□□°°°°□□□□°°□°□□°°°□■□°□□□□□□□□

10 10 – 6 10 6 – 6 9 6 – 5 8 5 – 7 –	XXXXX
3 – 9 5 5 8 5 117	CO
4 7	O
10 9 7	O
10 6 4 8 **8** 7	O
4 2 11 6 7	O
10 5 10 – 7 – 6 3 10 8 12 8 6 – 5 3 6 7	XXXO
8 7	O
11 – 7 – 11 – 7 – 8 9 6 8 – **8** 9 **10** 11 4 12	XXXXX
9 9 4 5 6 5 3 7	O
4 **4** – 5 6 10 7	XO
5 9 8 5 – 10 10 – 8 7	XXO
3 – 3 – 7 – 11 – 3 – 4 8 9 7	CCXXCO
9 8 7	O
10 3 6 **8** 5 8 **6** 8 2 12 10 – 4 11 6 9 3 9 5 **4** – 9 7	XXO
9 8 5 5 5 117	O
4 10 11 2 9 **6** 7	O
10 8 12 7	O
4 7	O
7 – 8 12 7	XO
4 12 8 6 2 8 7	O
9 11 3 7	O
5 5 – 4 10 7	XO
5 22 10 10 5 – 8 7	XO
9 9 – 7 – 8 **4** 8 – **4 10** 10 7	XXXO
9 8 6 6 9 – 3 – 11 – 4 8 5 12 2 7	XCXO
10 7	O
5 6 4 10 6 8 4 9 10 9 11 8 9 8 8 8 8 7	O
8 2 6 6 8 – 11 – **8** 5 12 9 3 4 7	XXO
8 5 6 **6** 8 – 4 7	XO
4 **4** – 8 6 7	XO
6 2 7	O
7 – 4 6 **4** – 2 – 8 5 10 8 – 3 – 9 7	XX2XCO
8 6 3 9 5 6 7	O
8 10 9 10 10 8 – 9 4 6 11 3 5 117	XO
8 7	O

°°°°°°□□□□□□□□ °°° □□ °°°°° □°□°□ °°□□□ °° □□□□□ °□□□ °□°□°°° °□°□□□ °° □°□°□□ °° □°□□□ °□□

6 3 4 8 8 4 4 4 6 − 8 12 8 − 5 8 12 5 −   **XXX**
  8 6 10 6 7   **O**
6 7   **O**
2 − 2 − 12 − 9 7   **22BO**
10 4 7   **O**
10 5 6 11 8 3 2 10 − 7 − 11 − 9 6 6 6 6 9 − 9 7   **XXXXO**
2 − 7 − **6** 7   **2XO**
7 − 5 11 3 6 5 − 7 − 8 7   **XXXO**
10 7   **O**
9 8 7   **O**
2 − 8 8 − 6 9 2 9 5 4 6 − 12 − 10 4 5 10 −   **2XXBX**
  7 − 11 − 10 6 7   **XXO**

10 8 9 **8** 10 − 10 7   **XO**
3 − 8 7   **CO**
6 9 4 7   **O**
8 8 − 5 8 8 5 − 6 5 5 9 7   **XXO**
5 7   **O**
6 9 9 4 6 − 11 − **10** 2 10 − 9 5 7   **XXXO**
4 7   **O**
2 − 9 5 11 3 7   **2O**
6 9 6 − 6 7   **XO**
7 − 10 7   **XO**

2 − 3 − 9 6 8 11 7   **2CO**
12 − 10 6 5 8 10 − 4 8 7   **BXO**
6 7   **O**
7 − 11 − 10 9 2 7   **XXO**
3 − 7 − 3 − 7 − 7 − 5 2 6 7   **CXCXXO**
4 9 5 7   **O**
4 7   **O**
6 8 6 − 5 4 3 6 8 6 7   **XO**
8 **8** − 12 − 6 8 7   **XBO**
5 7   **O**

36

88 − **6** 6 − 7 − 7 − 6 9 5 7	**XXXXO**
8 2 9 8 − 11 − 11 − 3 − 10 **6** 6 9 4 2 9 8 6 10	**XXXCX**
7 − 7 − 8 5 7	**XXO**
5 11 6 5 − 6 8 10 8 2 11 7	**XO**
9 8 3 **10** 9 − 6 7	**XO**
⟶ 7 − 8 7	**XO**
◄ 6 **10** 8 8 8 11 **10** 7	**O**
7 − **4** 3 5 7	**XO**
7 − 9 3 6 10 5 9 − 7 − 4 12 8 7	**XXXO**
⟐ 5 7	**O**
11 − 9 4 **8** 4 8 11 11 8 4 8 3 6 5 8 7	**XO**
4 7	**O**
⟐ 8 6 4 8 − 10 5 12 7	**XO**
7 − 7 − 10 **6** 6 5 10 − 11 − 2 − 6 4 4 10 **6** −	**XXXX2X**
7 − 5 8 5 − 9 10 5 11 7	**XXO**
⟐ 7 − 8 7	**XO**
7 − 9 8 2 9 − 9 6 **6** 9 − 7 − **6** 6 − 6 9 6 − 10 7	**XXXXXXO**
4 6 10 5 10 8 **6** 11 9 11 **6** 5 **10** 7	**O**
⟐ 9 6 10 7	**O**
3 − 7 − 3 − 9 7	**CXCO**
4 5 5 5 11 10 6 8 9 7	**O**
⟐ 8 7	**O**
7 − 7 − 6 7	**XXO**
⟐ 6 7	**O**
7 − 9 4 9 − 2 − 3 − 7 − 12 − 9 6 5 7	**XX2CXBO**
⟐ 3 − 9 7	**CO**
4 7	**O**
⟐ 6 6 − 6 8 8 9 5 7	**XO**
⟐ 7 − 8 11 7	**XO**
⟐ 7 − 6 5 7	**XO**
11 − 10 7	**XO**
5 3 9 5 − 8 7	**XO**
⟐ 8 9 10 9 **8** − 9 10 5 7	**XO**

10 4 10 − 5 8 7	XO
7 − 5 2 6 8 4 6 9 8 11 6 8 5 − 5 8 7	XXO
، 8 7	O
∪ 6 11 11 9 6 − 6 7	XO
، 9 7	O
، 6 8 7	O
، 8 3 3 10 7	O
، 6 5 9 10 7	O
11 − 3 − 7 − 5 6 8 5 − 8 11 5 9 7	XCXXO
، 9 10 8 5 7	O
4 8 8 8 2 3 7	O
7 − 12 − 10 7	XBO
، 9 5 7	O
، 5 10 10 8 7	O
4 4 − 9 7	XO
4 6 3 4 − 7 − 8 8 − 6 3 7	XXXO
3 − 6 10 8 9 4 5 8 10 10 4 6 − 3 − 8 8 −	CXCX
9 6 11 11 7	O
، 6 7	O
، 9 7	O
4 8 12 7	O
، 8 7	O
7 − 4 2 5 7	XO
7 − 5 9 11 10 7	XO
، 8 7	O
، 6 8 5 6 − 11 − 5 7	XXO
، 6 9 11 6 − 6 7	XO
9 9 − 3 − 9 12 8 5 7	XCO
، 9 4 6 3 5 6 8 7	O
11 − 9 3 2 6 7	XO
5 11 5 − 10 10 − 5 9 9 2 7	XXO
، 6 6 − 5 2 4 4 4 7	XO
3 − 2 − 7 − 7 − 7 − 6 8 8 4 4 3 11 8 12 9 6 −	C2XXXX
11 − 2 − 6 3 8 10 8 7	X2O
11 − 9 4 3 8 7	XO
10 4 4 12 9 8 6 2 11 7	O
، 8 10 6 10 6 3 6 4 7	O

°□°°□□°□°□□□□□°□°°°□□□°■□□□□°□°°°°□□°□°□°□□□□°□°□□°°°□□□°□°°°□°°□□□□□□□°□□°□□□

```
  2 − 6 6 − 6 3 3 6 − 6 10 5 7          2XXO
  12 − 6 10 11 6 − 7 − 4 3 9 6 7        BXXO
⌐ 9 6 6 4 6 4 6 10 6 11 7               O
⌐ 5 4 9 8 7                            O
  12 − 9 4 3 4 8 6 12 9 − 4 11 5 6 7    BXO
  4 4 − 7 − 9 5 9 − 10 6 2 7            XXXO
⌐ 8 9 3 9 9 7                          O
⌐ 5 8 7                                O
⌐ 3 − 8 7                              CO
⌐ 3 − 6 7                              CO
```
```
⌐ 5 3 8 6 7                            O
  4 10 7                               O
  5 10 6 11 10 10 4 8 9 12 5 − 9 11 5 9 − 9 9 − 9 7   XXXO
⌐ 5 7                                  O
⌐ 8 7                                  O
  7 − 4 6 12 7                         XO
⌐ 8 8 − 4 8 7                          XO
  11 − 3 − 7 − 10 6 9 6 4 5 5 7        XCXO
⌐ 9 5 6 7                              O
⌐ 9 2 10 6 4 11 7                      O
  7 − 5 6 7                            XO
  7 − 7 − 6 10 6 − 5 4 8 12 4 8 3 8 4 8 5 −   XXXX
     8 8 − 2 − 6 7                      X2O
  10 5 10 − 3 − 3 − 12 − 10 10 − 9 9 − 10 8   XCCBX
     6 9 9 9 9 7                        XO
```
```
⌐ 3 − 6 7                              CO
⌐ 7 − 8 7                              XO
⌐ 5 7                                  O
⌐ 7 − 8 7                              XO
  9 9 − 4 10 9 7                        XO
  4 4 − 10 10 − 10 11 7                 XXO
  9 9 − 12 − 4 8 4 − 7 − 8 4 7          XBXXO
  7 − 10 8 11 4 9 11 11 9 9 8 8 8 9 5 8 10 − 8 6 6 7   XXO
⌐ 9 4 7                                O
  4 10 7                               O
  10 3 7                               O
```

□°°□ₙ■°°□□□□■°□°□□□□□□□□□□□°°°□□□□°□°□°□□□□°□°°°°°°□°□□°°□°°°□□°□□■°□□□°□□°□°□°□°■°□°□□□□

6 **10** 7	O
9 7	O
9 6 8 7	O
10 10 − 7 − 11 − 10 2 10 − 7 − 11 − 8 9 **10** 6	XXXXX
10 5 6 7	O
8 7	O
9 7	O
9 9 − 4 8 **4** − 10 3 5 11 8 7	XXO
4 6 7	O
9 10 6 8 9 − 10 3 5 7	XO
12 − 6 9 6 − **4** 7	BXO
9 8 9 − 6 4 5 11 3 3 5 7	XO
8 4 7	O
9 7	O
5 6 6 7	O
2 − 9 7	2O
4 7	O
5 8 10 6 5 − 4 8 7	XO
7 − 8 **6** 11 11 11 11 10 8 − 3 − 3 − 7 − 7 − 11 −	XXCCXXX
7 − **6** 5 12 12 5 5 9 3 10 11 6 − 5 7	XXO
8 10 7	O
6 4 9 8 8 9 4 8 8 **6** − 7 − 10 7	XXO
5 11 9 7	O
6 7	O
8 6 10 3 5 6 7	O
2 − **8** 7	2O
10 10 − 3 − 5 10 7	XCO
6 8 **6** − 5 9 7	XO
9 9 − 7 − 3 − 4 7	XXCO
9 9 − 5 8 9 6 5 − 3 − 6 9 2 7	XXCO
7 − 10 6 8 5 9 9 8 8 7	XO
9 **10** 9 − 4 9 5 6 9 3 8 9 7	XO
7 − 3 − 5 7	XCO
9 6 4 5 7	O
6 8 10 2 5 6 − 7 − 5 10 4 3 7	XXO
7 − 5 3 10 5 − 7 − 4 8 7	XXXO
6 5 4 **4** 5 5 7	O

ᴅᴅᴅ°°°°°°°ᴅᴅᴅ°°ᴅᴅ°ᴅ■ᴅ°ᴅᴅᴅᴅᴅᴅᴅ°ᴅ°ᴅᴅ°°°°°°ᴅᴅ°°ᴅᴅᴅᴅᴅᴅ°ᴅᴅ°ᴅ°ᴅᴅ°°ᴅ°ᴅ°ᴅ°ᴅᴅᴅ°ᴅ°°°ᴅᴅ

```
 11 – 6 2 2 8 9 11 9 9 7                          XO
 5 4 10 5 – 6 11 4 9 8 4 4 7                       XO
 11 – 12 – 5 5 – 8 9 9 11 7                        XBXO
 3 – 5 6 9 8 9 7                                   CO
 10 5 6 10 – 7 – 5 6 5 – 8 5 5 9 8 – 7 – 7 –       XXXXXX
     88 – 99 – 7 – 959 – 88 – 957                   XXXXXO
 8 7                                               O
 6 10 8 11 7                                       O
 11 – 7 – 5 6 7                                    XXO
 8 9 5 12 3 7                                      O
 2 – 8 8 – 7 – 6 7                                 2XXO
 7 – 10 4 6 6 2 9 5 3 10 – 5 9 6 7                 XXO
 9 3 4 6 10 6 8 5 10 11 7                          O
 10 5 8 6 11 10 – 7 – 9 4 9 – 11 – 4 8 7           XXXXO
 8 6 10 5 7                                        O
 8 4 2 5 4 6 4 5 4 5 8 – 3 – 6 10 7                XCO
 9 8 7                                             O
 11 – 5 7                                          XO
 4 8 5 8 4 – 7 – 12 – 6 7                          XXBO
 7 – 7 – 6 9 5 8 7                                 XXO
 11 – 7 – 4 3 7                                    XXO
 8 4 3 6 7                                         O
 8 11 8 – 12 – 6 11 9 5 8 6 – 5 9 8 6 10 12 8 7    XBXO
 9 4 9 – 10 9 8 9 11 4 8 6 8 9 11 12 6 8 6 11 7    XO
 3 – 8 12 8 – 5 8 5 – 8 12 7                       CXXO
 8 12 6 7                                          O
 10 8 5 7                                          O
 8 4 10 10 7                                       O
 8 7                                               O
 4 7                                               O
 9 7                                               O
 5 4 7                                             O
 9 6 4 4 5 10 4 4 9 – 7 – 10 6 9 10 – 6 8 2 6 –    XXXX
     4 12 11 9 6 4 – 8 10 4 7                        XO
 9 4 10 5 6 6 11 8 4 8 10 11 8 7                   O
 9 5 7                                             O
```

6 7	O
2 − 9 4 6 3 4 5 10 4 6 8 9 − 4 4 − 5 **10** 8 12 5 −	2XXX
11 − 8 4 6 10 7	XO
4 12 11 7	O
10 5 11 5 7	O
7 − 8 3 7	XO
4 2 8 9 3 7	O
7 − 11 − 5 **4** 11 6 **6** 11 5 − 8 6 9 6 10 5 5 5 **4** 8 −	XXXX
6 8 8 7	O
8 6 5 10 3 7	O
10 6 **6** 8 3 11 11 7	O
7 − 2 − 4 8 10 2 2 8 7	X2O
10 7	O
8 8 − 7 − 8 11 5 4 2 11 7	XXO
7 − 7 − 9 9 − 4 11 11 5 6 8 9 8 **4** − 6 **6** −	XXXXX
9 5 10 **10** 6 11 6 7	O
6 8 7	O
9 4 8 9 − 9 2 5 9 − 2 − 6 9 9 7	XX2O
7 − **10** 6 12 9 3 2 5 5 8 2 **4** 8 8 4 10 −	XX
8 5 6 12 11 5 7	O
6 3 7	O
9 5 **8** 11 8 7	O
4 3 7	O
7 − 6 6 − 6 6 − 8 4 9 7	XXXO
7 − 9 7	XO
11 − 7 − 10 10 − 5 6 7	XXXO
4 11 6 9 **10** 7	O
7 − 7 − 5 11 8 2 **10 10** 7	XXO
7 − 5 8 7	XO
5 8 **10** 9 7	O
7 − 8 **6** 10 7	XO
6 10 6 − 10 7	XO
6 4 7	O
11 − 5 9 4 7	XO
6 5 8 9 **4** 5 8 9 5 9 5 5 11 6 − 10 7	XO
9 6 3 **10** 5 6 11 3 2 8 9 − 10 5 5 11 6 9 9 5	X
8 4 2 7	O

7 − 3 − 9 4 8 9 − 6 6 − 7 − 9 7	XCXXXO
7 − 8 8 − 8 12 10 4 5 4 6 11 10 5 9 9 9 6 10	XXX
3 11 10 5 8 − 8 4 8 − 9 8 4 5 3 8 3 9 − 8 8 −	XXX
6 5 5 3 11 9 3 7	O
4 6 5 8 5 7	O
7 − 7 − 6 5 4 11 7	XXO
5 9 7	O
5 10 9 10 12 7	O
8 11 3 5 6 7	O
9 7	O
7 − 6 12 9 7	XO
5 10 9 9 5 − 10 10 − 8 6 9 5 3 6 11 4 6 9 6 8 −	XXX
12 − 4 9 8 8 11 6 9 9 10 9 7	BO
6 12 6 − 10 4 7	XO
9 6 7	O
4 7	O
8 5 10 4 4 12 10 5 9 4 9 9 11 7	O
9 5 11 3 7	O
7 − 7 − 5 8 4 4 10 9 5 − 12 − 3 − 5 8 8 4 7	XXXBCO
7 − 9 8 9 − 10 6 3 7	XXO
4 7	O
8 11 5 11 6 5 10 5 9 8 − 7 − 7 − 6 5 5 7	XXXO
6 7	O
8 9 10 11 7	O
9 8 9 − 8 9 6 11 8 − 7 − 6 10 5 5 4 5 4 8 4 11 3 7	XXXO
8 10 6 7	O
6 8 5 8 4 5 7	O
8 8 − 11 − 8 6 5 4 5 2 10 10 6 3 5 4 8 −	XXX
6 6 − 6 7	XO
10 7	O
10 8 4 3 7	O
7 − 2 − 6 2 6 − 8 3 6 8 − 5 9 7	X2XXO
8 5 8 − 9 6 10 6 10 4 4 7	XO
6 8 12 10 10 4 4 6 − 4 4 − 10 6 7	XXO
9 9 − 8 8 − 4 12 6 9 7	XXO
5 3 7	O

°₀°°°°₀°°°°°°°₀₀°°₀°°°°°₀°°°°°■°₀°°°°°°°°°■°°°₀°°°°°°°₀₀₀°°°°₀₀₀°°°°₀₀₀°₀°°°₀°°°₀₀

8 9 10 10 8 − 7 − **8** 5 10 5 5 10 11 6 5 10 12 8 −	XXX
8 12 5 8 − 5 6 7	XO
9 4 10 7	O
9 8 8 7	O
8 4 11 7	O
11 − 6 11 5 9 10 4 7	XO
9 10 3 8 5 9 − 7 − 6 5 6 − 7 − 4 8 8 6 7	XXXXO
10 6 5 3 5 8 7	O
6 **6** − **6** 7	XO
2 − 7 − 6 5 8 6 − 2 − 2 − 7 − 12 −	2XX22XB
3 − **6** 6 − 4 7	CXO
7 − 9 **6** 12 9 − 7 − 4 5 9 5 6 6 11 7	XXXO
5 5 − 8 10 9 3 6 4 8 − 6 5 9 4 8 10 8 7	XXO
3 − 5 6 8 5 − **10** 6 5 6 5 7	CXO
2 − 3 − **4** 12 11 3 9 8 5 4 − 9 5 10 8 6 6 11 7	2CXO
11 − 5 10 8 6 3 4 5 − 6 9 3 11 5 11 **8** 5 9 **10** 7	XXO
6 11 9 **6** − 7 − 9 9 − 7 − 5 6 5 − 11 − 8 10 10 8 −	XXXXXX
7 − 5 **4** 3 5 − 6 6 − 6 12 5 7	XXXXO
9 4 7	O
10 8 4 5 9 6 8 10 − 6 8 **6** − 9 **8** 5 5 9 −	XXX
7 − 6 4 5 8 8 7	XO
3 − 8 **3** 4 5 6 6 4 10 5 5 8 − 8 4 3 12 5 9 9	CXX
9 4 5 6 9 12 4 **8** − 7 − 8 5 7	XO
10 **8** 8 11 9 3 7	O
10 7	O
5 8 8 7	O
4 5 9 7	O
11 − 7 − 4 6 3 5 5 4 − 9 8 9 − 7 − 3 −	XXXX
4 3 6 8 7	XCO
4 5 2 11 9 8 5 8 5 10 12 3 7	O

44

9 6 4 4 8 9 − 5 6 6 5 − 7 − 8 3 10 7	XXXO
9 4 5 6 6 10 **4 6** 7	O
8 2 5 6 11 16 9 5 9 7	O
6 11 10 3 9 8 7	O
6 5 8 8 8 7	O
4 6 11 11 **8** 6 7	O
7 − 7 − 6 5 7	XXO
7 − 9 10 5 10 **6** 9 − 12 − 5 9 4 8 8 4 **6** 2 9 3	XXB
6 6 11 8 5 − 6 6 − 8 7	XXO
8 8 − 4 4 − 9 8 10 7	XXO
6 7	O
6 9 7	O
8 6 8 − 8 2 9 5 7	XO
7 − 4 9 6 8 7	XO
8 6 5 7	O
11 − 8 5 11 8 − 9 7	XXO
2 − 5 7	2O
8 5 5 7	O
8 8 − 9 8 7	XO
3 − 7 − 7 − 3 − 7 − 9 7	CXXCXO
4 7	O
5 7	O
7 − 5 5 − 3 − 2 − 6 9 7	XXC2O
6 7	O
9 7	O
3 − 12 − 5 6 7	CBO
10 6 10 − 6 10 8 4 6 − 5 11 10 8 **6** 4 8 6 5 −	XXX
9 10 5 **8** 8 6 7	O
2 − 5 3 9 9 5 − 10 7	2XO
7 − 6 7	XO
2 − 7 − 9 11 7	2XO
8 **10** 4 2 12 6 8 − 2 − **10** 3 6 5 8 10 − 2 −	X2X2
7 − 6 7	XO
5 7	O
3 − 5 5 − 11 − 7 − 6 7	CXXXO
7 − 10 3 6 7	XO

8 6 9 5 6 7	O
10 8 **10** − 7 − 3 − 12 − 9 6 5 4 4 **10** 5	**XXCB**
6 6 9 − 5 9 7	XO
8 5 **8** − 5 7	XO
5 10 **6** 9 8 10 **4** 10 7	O
6 6 − 11 − 9 11 7	XXO
10 8 4 6 8 5 9 8 11 6 5 12 **6** 10 − 6 8 9 6 − 7 −	XXX
7 − 6 4 11 3 10 2 5 6 − 7 − 7 − 6 10 9 9 7	XXXXO
8 3 **10** 8 − 3 − 7 − 3 − 7 − 11 − 9 2	XCXCXX
8 8 8 5 6 7	O
4 12 7	O
12 − 4 9 10 9 3 6 7	BO
4 8 9 9 **10** 4 − 7 − 7 − 7 − 10 11 4 5 6 8 8 7	XXXXO
6 9 9 5 8 6 − 7 − 4 9 12 9 5 7	XXO
4 10 5 4 − 8 3 3 7	XO
9 **6** 5 7	O
3 − 7 − 6 7	CXO
8 6 6 3 10 7	O
8 7	O
5 7	O
7 − 11 − 8 7	XXO
6 9 6 − 11 − 9 9 − 9 8 12 5 4 9 − 6 **6** −	XXXXX
9 8 3 11 6 8 3 7	O
7 − 11 − 5 12 6 8 3 **10** 4 8 3 4 4 4 5 − 7 −	XXXX
5 6 11 11 11 **6** 8 4 6 11 7	O
6 7	O
3 − 8 8 − **10** 9 8 5 9 7	CXO
4 8 5 3 **6** 5 9 3 7	O
3 − 7 − 9 9 − 7 − 11 − 6 6 −	CXXXXX
8 8 − 5 7	XO
4 9 9 6 **4** − 7 − 4 6 8 5 9 6 3 10 8 7	XXO
9 8 4 5 7	O

7 − 7 − 7 − 8 8 − 7 − 7 − 4 9 10 7	XXXXXXO
• 6 8 8 4 7	O
9 9 − 8 6 10 7	XO
⌐ 9 7	O
6 6 − 3 − 7 − 7 − 11 − 9 5 7	XCXXXO
10 5 6 5 9 8 9 8 **9** 7	O
4 7	O
5 9 **4** 11 5 − 8 5 6 8 − 11 − 8 8 −	XXX
10 11 8 6 8 5 12 6 8 **8** 7	XO
₰ **6** 10 6 − 10 11 8 7	XO
7 − 10 **8** 9 7	XO
10 9 **10** − 10 10 − 9 9 − 11 − 8 8 − 9 5 7	XXXXXO
₊ 8 9 7	O
7 − 11 − 7 − 8 6 7	XXXO
⌐ 7 − 8 9 7	XO
4 5 7	O
• 6 3 3 **8** 7	O
7 − 5 **4** 7	XO
▸ 9 7	O
8 8 − 7 − 10 5 10 − 9 7	XXXO
• 8 11 7	O
▬ 5 7	O
11 − 8 4 6 8 − 8 9 7	XXO
7 − 10 7	XO
10 8 3 7	O
10 11 6 7	O
⌐ 5 7	O
₊ 6 7	O
₊ 8 10 8 − **6** 5 11 5 9 5 10 5 7	XO
10 6 4 4 8 5 2 5 7	O
7 − 3 − 7 − 4 7	XCXO
7 − **4** 3 5 12 11 6 7	XO
₊ 8 11 6 3 9 9 3 **10 10** 7	O
7 − 7 − 6 8 **8** 5 7	XXO
4 9 **10** 7	O

10 10 − 6 10 8 6 − 2 − 3 − 12 −	**XX2CB**
4 8 **8** 3 5 4 − 8 3 5 9 3 10 6 5 9 2 8 − 10 8 7	**XXO**
5 5 − 5 6 8 12 7	**XO**
◂ 9 **6** 6 11 6 4 6 7	**O**
▸ **6** 10 7	**O**
7 − 8 8 − 2 − 6 8 4 2 10 7	**XX2O**
▸ 8 6 3 6 6 10 9 9 11 6 5 9 7	**O**
↶ 9 8 6 11 4 5 7	**O**
↴ 2 − 6 3 5 7	**2O**
↖ **8** 7	**O**
8 3 6 8 − 9 4 8 12 6 **4** 4 9 − 10 7	**XXO**
↴ 8 7	**O**
10 10 − 9 2 5 11 7	**XO**
4 7	**O**
3 − 6 2 9 9 4 2 2 6 − 2 − 8 7	**CX2O**
◂ **5 6 8** 7	**O**
6 6 − 10 12 8 8 5 9 5 9 3 5 6 10 − 5 8 7	**XXO**
11 − 5 7	**XO**
◂ 9 11 7	**O**
4 9 7	**O**
7 − 11 − 2 − 5 2 7	**XX2O**
8 8 − 11 − 8 7	**XXO**
11 − 5 6 2 8 5 − 11 − 4 5 4 − 7 −	**XXXXX**
9 8 5 6 7	**O**
↖ 5 9 7	**O**
↟ 9 7	**O**
↝ 9 5 6 5 7	**O**
◂ 8 7	**O**
↝ 9 5 **6 8 10 4** 6 11 3 6 6 7	**O**
◂ 8 6 6 5 6 9 11 6 8 − 7 − 5 8 7	**XXO**
◂ 8 7	**O**
10 8 3 6 7	**O**
7 − **6** 5 6 − 7 − 5 9 4 9 10 5 − 8 3 11 10 10 7	**XXXXO**
2 − 5 9 10 5 − 7 − 5 11 2 8 **4** 7	**2XXO**
↴ 2 − 9 8 11 5 5 5 2 4 5 8 6 7	**2O**
8 9 8 − 3 − 10 5 9 2 6 7	**XCO**
◝ 8 8 − 10 7	**XO**

∞⬚⬚∎∞°⬚°⬚⬚⬚∞⬚⬚°⬚⬚⬚⬚⬚⬚⬚∞°⬚⬚°⬚⬚⬚∞°°⬚°⬚⬚⬚∞°°°⬚⬚°⬚°⬚⬚⬚⬚⬚∞°⬚⬚⬚⬚⬚°⬚⬚⬚∞°°⬚⬚°°⬚°⬚⬚⬚°⬚⬚°⬚°

5 6 5 − 4 10 8 2 11 7	XO
↑ 8 7	O
12 − 5 6 5 − 5 7	BXO
5 3 **10** 5 − 7 − 8 7	XXO
6 6 − 6 6 − 6 11 8 10 4 3 8 5 3 **10** 7	XXO
10 6 7	O
• 6 7	O
2 − 5 11 5 − 3 − 5 6 9 4 4 **4** 6 6 7	2XCO
7 − 2 − **4** 6 **10** 8 11 6 7	X2O
7 − 8 8 − 7 − 4 3 3 7	XXXO
7 − 7 − 9 4 10 12 4 7	XXO
2 − 5 5 − 12 − 7 − 9 5 10 11 9 − 5 9 7	2XBXXO
↗ 7 − 8 6 7	XO
✦ 9 4 7	O
2 − 3 − 3 − 6 4 **4** 7	2CCO
7 − 6 8 3 10 6 − 11 − 9 7	XXXO
4 5 7	O
7 − 4 2 11 11 4 − 4 11 6 7	XXO
4 3 8 9 4 − 8 7	XO
7 − 5 4 10 5 − 7 − 4 9 6 2 **4** − 7 −	XXXXX
4 11 11 8 3 4 − 4 7	XO
4 8 9 4 − 6 9 10 5 6 − 3 − 7 − 2 −	XXCX2
8 4 5 3 9 4 4 7	O
✦ 9 5 7	O
7 − 4 9 9 4 − 8 3 8 − 3 − 10 3 9 10 − 10 6 7	XXXCXO
7 − 9 3 11 7	XO
✦ 5 3 7	O
4 5 9 3 5 12 7	O
4 4 − 5 7	XO

°□□■°□°°□°□°°□□□□°□□°□□°□°°□°□□□°□°°□°●°□°□□□□□□°°□□°□□°□°°□°□□□□□□°°□°□°□□□°□°□°□□□°□

8 5 8 − 2 − 2 − 8 11 3 9 12 **8** − 3 −	**X22X**C
4 1 **2** 8 5 9 7	O
11 − 7 − 10 4 12 7	XXO
10 9 6 6 7	O
10 9 7	O
✶ 2 − 8 7	2O
10 5 5 8 9 **10** − 7 − 11 − 8 10 **8** − 3 − 5 5 −	XXXXCX
7 − 11 − 9 6 7	XXO
⸰ 6 10 7	O
5 5 − 4 3 8 6 **8** 8 7	XO
4 5 4 − 7 − 3 − 7 − 7 − 7 − 5 7	XXCXXXO
4 12 9 4 − 4 9 7	XO
✶ 3 − 10 7	CO
7 − 5 4 6 7	XO
✶ 5 7	O
8 8 − 7 − 8 6 8 − 4 7	XXXO
7 − 5 7	XO
7 − 5 9 7	XO
✶ 6 12 3 9 4 8 **4** 10 3 7	O
⸰ 6 3 3 3 9 7	O
⸰ 9 7	O
10 7	O
4 10 **4** − 6 8 9 5 7	XO
⸰ 6 8 5 8 7	O
4 5 5 8 12 7	O
✶ 8 8 − 6 5 11 7	XO
6 3 6 − 7 − 10 6 5 3 7	XXO
◄ 9 4 10 8 5 8 7	O
4 5 5 8 9 2 12 3 3 7	O
6 4 6 − 7 − 4 11 10 6 5 9 10 11 9 11 **8** 9	XXX
6 9 10 5 4 − 11 − 7 − 7 − **10** 11 7	XXXO
3 − 7 − 6 7	CXO
8 **8** − 5 5 − 9 10 12 11 4 **6** 9 − 6 5 11 11	XXX
4 **10 6** − 6 8 8 8 7	XO
7 − 10 8 7	XO
10 6 2 7	O

°₀₀°₀₀°°₀₀₀₀₀°°°°₀°°°₀₀°°°°₀°°°°₀°₀₀₀°₀₀°°°₀°₀°₀₀₀₀₀°₀₀₀°₀°₀°₀₀₀°°°°°°°₀₀°₀°°°°₀°₀₀₀

7 – 7 – 9 7	XXO
• 8 7	O
10 7	O
9 5 **10** 5 6 8 5 9 – 5 4 9 7	XO
▸ 9 7	O
11 – 6 6 – **10 10** – 9 3 **10** 7	XXXO
◢ **6 6** – 5 7	XO
◂ 9 7	O
10 5 8 **6** 2 **6** 11 7	O
⬥ 8 5 7	O
5 11 3 5 – 8 8 – 8 6 4 8 – 6 7	XXXO
• 6 10 11 9 7	O
10 7	O
⬤ 8 9 **6** 7	O
5 **2** 8 11 6 11 12 5 – 7 – 11 – 8 5 11 10 7	XXXO
4 12 6 3 6 8 **6 8** 9 6 4 – 8 8 – 8 5 5 7	XXO
7 – 4 3 5 8 9 10 2 5 4 – 9 11 7	XXO
7 – **10** 3 5 10 – 6 **8** 5 3 8 7	XXO
10 5 5 7	O
8 8 – 8 3 8 – 9 4 8 7	XXO
5 3 3 3 10 9 6 12 11 11 8 6 6 8 2 11 5 – 7 –	XX
3 – 3 – 5 7	CCO
⬥ 8 11 7	O
◂ **8** 6 7	O
⬥ 8 11 **10** 5 8 – 7 – 9 11 2 4 8 7	XXO
◂ 5 11 7	O
▸ 9 11 5 7	O
▸ 9 8 11 7	O
11 – 10 5 5 9 12 11 10 – 11 – **6** 11 5 7	XXXO
6 4 6 – 5 5 – 11 – 6 8 9 7	XXXO
5 6 8 8 9 **4 6** 8 5 – 7 – 5 7	XXO
5 10 5 – 6 9 8 4 11 7	XO
• 8 11 7	O
▸ 9 3 3 7	O
4 10 8 **4** – **8** 6 8 – 11 – 10 3 9 6 **10** –	XXXX
8 10 6 **6** 8 – 9 10 8 6 7	XO

∞◻◻◻°◻◻°◻°°°◻°◻°◻◻◻◻∞◻◻◻◻°°°◻°◻°◻°◻°◻◻°◻°°◻ ◻◻◻◻◻°◻◻◻◻°°°◻°°°◻°◻°◻°◻°◻◻◻°°°°°◻

7 − 3 − 2 − 3 − 7 − **8** 6 9 7	XC2CXO
9 11 5 7	O
11 − 2 − 5 9 5 − 4 3 9 7	X2XO
6 8 4 4 3 11 11 10 **10** 8 6 − 6 11 5 3 5 3 8	X
5 8 5 9 8 10 11 5 11 7	O
8 5 4 9 5 5 4 7	O
6 11 6 − 7 − 8 7	XXO
12 − 5 7	BO
7 − 8 12 12 2 9 11 6 6 8 − **10** 7	XXO
9 9 − 9 9 − 4 8 9 7	XXO
6 2 **10** 8 6 − 7 − 11 − 2 − 11 − 11 − 10 7	XXX2XXO
7 − 5 5 − 10 11 4 8 4 5 4 6 6 3 6 **10** −	XXX
11 − 4 8 11 4 − 9 3 7	XXO
8 11 8 − 7 − 2 − 7 − 6 **6** − 6 7	XX2XXO
9 6 8 9 − 5 3 7	XO
5 10 **4** 8 4 7	O
3 − 12 − 7 − 10 8 11 11 8 11 9 5 7	CBXO
6 4 4 9 9 9 7	O
2 − 11 − 8 7	2XO
3 − 7 − 7 − 12 − 6 7	CXXBO
5 5 − 9 11 6 9 − 8 12 4 6 11 5 **6** 11 6 9 6 9 7	XXO
7 − 7 − 3 − 5 6 7	XXCO
11 − 10 7	XO
4 5 4 − 8 10 **10** 6 9 2 5 6 **8** − 11 − 8 5 9 5 9 7	XXXO
5 9 12 3 12 **4** 4 12 9 10 11 5 − 4 9 7	XO
8 7	O
5 10 **4** 3 4 6 6 4 11 6 10 10 4 4 **8** 8 10 2 7	O
4 9 6 9 7	O
6 7	O
4 **8** 8 6 6 7	O

7 – 12 – **4** 9 5 6 6 7	XBO
5 9 10 5 – 6 11 5 10 **6** – **10** 2 8 5 8 4 10 – **4** 6 7	XXXO
● 5 3 6 11 7	O
6 10 **10** 5 12 6 – 9 9 – 5 11 7	XXO
4 10 11 8 9 11 8 8 11 5 11 7	O
3 – 7 – 5 11 7	CXO
7 – 2 – 5 **6** 3 3 5 – 7 – 5 7	X2XXO
● 7 – 8 10 9 9 11 7	XO
7 – 6 9 6 – 8 5 8 – 4 11 3 5 6 11 9 6 8 6 9 5	XXX
10 5 6 2 11 10 8 5 5 9 9 8 6 9 8 2 8 11 9	
6 8 9 6 9 10 8 10 3 6 10 7	O
7 – 8 8 – 9 11 **10** 9 – 8 5 5 **6** 11 10 3 6 8 –	XXXX
7 – 7 – 9 7	XXO
● 8 5 6 7	O
● **8 6** 7	O
7 – 6 6 – 9 4 8 9 – 6 **4** 9 7	XXXO
6 10 12 2 11 **6** – 7 – 11 – 12 – 6 12 7	XXXBO
● 8 2 7	O
7 – 8 **6** 8 – 7 – 11 – 6 9 5 2 8 7	XXXXO
4 **6** 4 – 6 9 9 8 3 4 4 5 7	XO
7 – 12 – 9 6 **10** 10 8 4 8 2 4 11 5 5 11 7	XBO
● 9 11 5 10 7	O
7 – 7 – 5 9 7	XXO
3 – 5 11 10 6 **4** 6 5 – 5 7	CXO
5 9 5 – 9 8 10 9 – 5 4 **4** 8 7	XXO
3 – 6 8 4 **4 10** 6 – 9 7	CXO
7 – **6** 4 8 6 – 6 9 10 8 7	XXO
● 8 11 2 10 11 5 7	O
7 – 3 – 3 – 10 11 10 – 7 – 5 3 8 6 12 9	XCCXX
10 6 3 11 9 7	O
4 2 11 7	O
● 5 7	O

10 7	O
4 9 7	O
10 6 6 6 8 7	O
9 5 **10** 6 9 − 10 6 5 10 − 10 8 **4** 5 10 − 7 − 5 7	XXXXO
7 − 8 5 **10** 7	XO
9 12 4 7	O
3 − 9 4 7	CO
8 7	O
11 − 7 − 8 7	XXO
10 12 6 5 8 8 10 − 5 6 8 9 6 3 6 7	XO
7 − 8 10 **4** 9 5 5 7	XO
8 12 6 6 11 3 6 7	O
7 − 7 − 5 12 8 9 7	XXO
6 **10 10** 4 3 6 − 5 7	XO
3 − 3 − 10 5 **10** − 7 − 7 − 6 5 9 12 5 5 11 7	CCXXXO
5 5 − 5 7	XO
6 3 3 6 − 7 − 10 5 7	XXO
7 − 5 12 **10** 5 − 2 − 9 11 9 − 7 − 10 8 9 10 −	XX2XXX
7 − 3 − 5 **4** 9 7	XCO
3 − 7 − 7 − 7 − 2 − 9 6 3 **8** 7	CXXX2O
5 8 2 4 9 2 7	O
5 **10** 7	O
6 11 9 10 9 7	O
12 − 10 9 4 5 5 **4** 2 7	BO
9 **6** 10 5 3 4 8 5 **10** 8 5 2 4 5 4 4 4 5 9 − 8 5 3 7	XO
10 8 **10** − 8 8 − 5 7	XXO
5 3 8 6 8 11 12 3 6 9 **6 8** 3 12 7	O
7 − 2 − 4 5 7	X2O
5 3 8 **10** 6 4 7	O
4 5 9 8 9 5 5 **10** 5 7	O
9 4 2 12 9 − **4** 5 3 9 7	XO
8 7	O
10 11 5 4 6 6 6 7	O
7 − 3 − 6 2 **4** 7	XCO
8 6 4 5 **10** 7	O

11 − 8 **8** − 3 − 10 5 6 7	XXCO
2 − 7 − 6 7	2XO
5 12 **10** 9 9 7	O
6 2 8 3 5 6 − 11 − 6 11 8 7	XXO
2 − 12 − **8** 8 − 7 − 9 8 9 − 7 − 3 −	2BXXXXC
12 − 7 − 4 3 5 9 6 2 5 9 10 **6 10** 6 10 **10**	BX
10 5 3 7	O
11 − 6 8 8 6 − 12 − 10 10 − **6** 8 **10 6** − 8 10 7	XXBXXO
10 5 4 8 11 11 8 2 6 9 9 8 7	O
9 8 7	O
5 3 6 7	O
6 10 **6** − 7 − 5 7	XXO
12 − 8 4 7	BO
6 4 3 9 7	O
8 10 4 8 − 10 4 6 8 7	XO
11 − 5 **4** 7	XO
6 5 9 10 7	O
7 − 10 8 9 8 8 5 9 9 9 12 10 − 8 8 − 7 − 3 −	XXXXC
7 − 7 − 10 5 9 5 4 6 6 8 **4** 11 4 8 10 −	XXX
12 − 7 − 3 − 7 − 8 5 7	BXCXO
7 − 6 6 − 11 − 6 5 7	XXXO
5 7	O
5 3 11 6 3 11 7	O
10 11 9 5 4 6 4 8 6 11 9 8 9 9 4 9 6 10 −	X
10 5 2 5 3 5 7	O
4 2 7	O
11 − 6 7	XO
11 − 11 − 7 − 9 8 8 9 − 9 7	XXXXO
8 5 5 7	O
7 − 5 9 11 5 − 4 10 8 **10** 5 8 9 4 − 2 − 5 12 9 7	XXX2O
8 10 6 6 7	O
8 6 5 7	O
8 **4** 4 11 **4** 5 5 6 4 9 **4** 6 12 3 9 9 4 5 7	O
3 − 4 7	CO
11 − 3 − 8 11 11 5 4 10 **8** − 6 9 10 4 9 11	XCX
5 2 5 5 7	O
7 − 6 7	XO

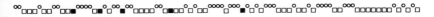

7 − 6 7	XO
5 7	O
8 6 **10** 6 7	O
10 7	O
11 − 9 11 9 − 6 11 **8 8** 7	XXO
8 9 7	O
4 7	O
3 − 7 − 7 − **4** 11 8 **4** − 5 6 5 − 8 10 5 9 3 4 7	CXXXXO
8 9 5 6 4 6 6 8 − 7 − 7 − 9 **6** 9 − 5 5 −	XXXXX
10 2 2 8 9 6 6 8 6 4 12 6 2 9 7	O
7 − 12 − 6 2 **10** 7	XBO
8 4 6 2 9 10 8 − 7 − 9 7	XXO
6 6 − 11 − 9 11 7	XXO
8 9 8 − 5 9 8 7	XO
4 5 5 9 **8** 3 5 7	O
9 3 6 2 10 **4** 8 7	O
7 − **4** 8 9 7	XO
7 − 5 **8 8** 7	XO
4 8 5 5 9 8 9 7	O
9 **8** 8 5 5 5 3 12·7	O
9 10 3 8 2 3 9 − 8 11 9 6 7	XO
5 8 4 3 10 11 6 9 11 4 6 9 7	O
4 11 3 6 8 8 6 6 7	O
10 3 8 4 7	O
10 9 8 11 9 6 **4** 6 3 7	O
7 − 8 7	XO
4 4 − 7 − 8 7	XXO
8 7	O
11 − 10 7	XO
8 6 4 8 − 9 8 6 5 6 8 **10** 3 5 12 4 8 2 4 8 9 −	XX
8 4 11 6 6 3 9 4 4 4 3 6 9 10 8 − 4 5 4 −	XX
12 − 11 − 6 6 − 7 − 8 9 7	BXXXO
3 − **10** 12 9 8 7	CO
5 8 5 − **4** 11 11 7	XO
8 6 8 − 6 2 4 9 **8** 7	XO
8 9 10 6 9 10 5 10 **4** 3 10 10 7	O

4 3 6 7	O
5 10 8 **4** 2 12 7	O
7 − 3 − 7 − 3 − 7 − 3 − 3 − 12 − 3 − 7 −	XCXCXC
8 5 7	CBCXO
3 − 11 − 5 5 − 6 6 − 11 − 5 8 8 7	CXXXXO
8 7	O
9 7	O
4 3 **8 10** 9 11 8 7	O
7 − 4 6 5 11 11 12 7	XO
6 6 − 6 4 10 5 4 8 6 − 9 7	XXO
7 − 10 3 11 9 6 **6** 8 9 8 9 5 3 6 8 5 6 9 **6**	X
4 6 8 2 5 8 3 9 7	O
5 11 12 7	O
2 − 8 6 8 − 6 2 5 9 11 6 − 11 − 5 4 4 7	2XXXO
5 12 9 7	O
11 − 5 7	XO
8 8 − 2 − 11 − 7 − **10 10** − 8 9 11 5 9 6 4	X2XXX
9 5 4 11 7	O
4 7	O
6 7	O
2 − 7 − 10 **4** 7	2XO
5 7	O
9 **4** 7	O
6 12 10 9 9 11 9 9 10 **6** − 11 − 8 3 3 8 − 6 3 5	XXXX
10 **12** 3 4 3 5 9 6 − 3 − 8 9 9 7	CO
4 10 7	O
6 2 6 − 6 5 5 5 7	XO
6 11 **10** 6 − 7 − 5 11 8 8 4 11 6 7	XXO
3 − 3 − 10 7	CCO
7 − 8 5 7	XO
4 6 8 6 7	O
8 7	O
8 6 5 6 4 10 8 − 7 − 8 12 10 **8** − 11 −	XXXX
10 3 9 11 9 7	O
8 **6 10** 11 5 5 8 − 7 − 10 6 2 9 8 7	XXO
7 − 4 7	XO
3 − 9 7	CO

□□°□°□°□□■□°□□°□^{∞∞∞}□□□□°□°□°□□□□^{∞∞}□□°□°□°□^{∞∞∞}□□□□°□□□°^{∞∞∞∞}□□□°□°□°□□□□□°□□□^{∞∞∞∞}°□°°□□□□

7 − **4** 9 2 9 8 5 5 10 5 2 8 9 6 8 6 3 5	**XX**
8 10 9 10 3 **10** 4 − 6 11 7	**O**
10 8 8 8 3 6 10 − 6 11 3 7	**XO**
7 − **9** 4 5 8 6 7	**XO**
⸱ 8 2 7	**O**
⸱ **8** 3 3 5 1 2 2 7	**O**
⸴ 9 5 8 8 6 6 10 3 6 7	**O**
9 5 3 6 9 − 9 9 − 7 − 9 11 3 7	**XXXO**
2 − 7 − 2 − 9 7	**2X2O**
5 5 − 6 8 8 3 **6** − 8 8 − 10 9 10 − 9 8 9 −	**XXXXX**
7 − 7 − 6 9 9 6 − 7 − 6 6 − 9 6 7	**XXXXXO**
4 6 4 − 11 − 9 9 − 9 7	**XXXO**
7 − 9 7	**XO**
7 − 3 − 3 − 3 − 4 8 7	**XCCCO**
⸲ 8 2 10 3 6 7	**O**
⸲ 2 − 5 9 4 4 7	**2O**
3 − 10 12 3 6 4 6 8 4 6 10 − **8** 2 7	**CXO**
⸱ 8 5 7	**O**
⸱ **6** 12 **4** 10 9 7	**O**
⸱ 5 7	**O**
5 9 4 9 6 5 − 7 − 5 9 **10** 9 4 11 10 6 10 5 −	**XXX**
9 4 9 − 9 4 3 7	**XO**
⸲ 6 8 7	**O**
8 3 8 − 7 − 4 5 5 **6** 6 8 3 5 10 6 4 −	**XXX**
8 10 **8** − 6 7	**XO**
⸱ **8** 7	**O**
10 11 7	**O**
⸱ 6 5 7	**O**
3 − 3 − 11 − 4 3 8 **10** 5 12 5 7	**CCXO**
⸲ 3 − 5 7	**CO**
5 **4** 5 − 7 − 7 − 8 5 9 7	**XXXO**
10 6 9 6 **10** − 3 − 3 − 5 7	**XCCO**
7 − 8 3 8 − 8 7	**XXO**

3**8**
41
+3

```
4 2 5 10 8 3 3 8 4 − 8 10 8 − 5 6 7              XXO
6 5 12 9 5 9 5 6 − 10 11 7                         XO
4 4 − 6 4 4 10 8 4 5 4 7                           XO
8 7                                               O
6 7                                               O
2 − 4 4 − 7 − 9 6 8 10 9 − 4 7                    2XXXO
10 6 6 9 6 12 3 6 6 7                              O
9 7                                               O
4 4 − 7 − 4 7                                     XXO
7 − 5 9 9 8 6 7                                    XO
10 4 5 4 11 4 8 7                                  O
10 3 8 10 − 11 − 7 − 11 − 10 9 7                  XXXXO
4 4 − 10 7                                         XO
12 − 7 − 5 5 − 12 − 3 − 3 − 7 − 5 5 −            BXXBCCX
    11 − 7 − 5 6 5 − 5 3 2 9 11 8 9 5 − 6 4 7       XXXXXO
5 6 6 8 7                                          O
7 − 11 − 11 − 6 7                                 XXXO
5 6 7                                             O
3 − 7 − 9 10 7                                     CXO
9 8 5 5 9 − 5 8 8 9 5 − 7 − 9 8 12 10 7           XXXO
6 10 10 7                                          O
8 3 4 9 8 − 9 8 10 8 6 8 9 − 4 7                  XXO
6 7                                               O
8 12 5 6 6 8 − 6 4 9 8 5 10 6 − 10 7              XXO
7 − 8 6 5 6 10 8 − 7 − 10 3 8 11 10 − 5 4 7       XXXXO
6 8 4 7                                            O
7 − 7 − 6 9 7                                     XXO
3 − 6 8 3 7                                        CO
4 11 6 5 7                                         O
6 2 10 6 − 11 − 6 7                               XXO
5 9 8 10 10 6 6 7                                  O
5 12 11 7                                          O
7 − 9 8 11 7                                       XO
11 − 3 − 9 9 − 5 7                                XCXO
8 6 7                                             O
```

∞₀°₀°₀□□□□°°°□□□°°□□°₀°□□°°°°□□°₀□■□■□□□°°°°°°°□□°°°□□□□°°°□□□□°°°□□°°°°□□□□°°□□□□°°°□□□°₀□□°°°□□

59

6 9 8 3 3 8 8 8 11 8 6 − 7 − 3 − 5 7	XXCO
6 6 − 6 3 10 7	XO
5 5 − 10 9 12 6 12 11 12 6 3 5 10 −	XX
7 − 7 − 8 11 7	XXO
5 8 12 4 8 7	O
6 7	O
10 8 6 6 3 7	O
9 7	O
8 9 5 3 9 10 9 10 7	O
8 6 7	O
6 10 11 4 7	O
5 9 6 10 4 5 − 11 − 6 3 8 4 8 9 5 8 8 8	XX
8 3 9 5 3 7	O
8 6 4 5 9 7	O
8 6 8 − 4 10 4 − 6 4 11 2 8 9 5 6 − 7 − 8 9 9 7	XXXXO
9 10 9 − 3 − 11 − 3 − 4 6 6 7	XCXCO
9 2 7	O
11 − 6 7	XO
9 8 4 8 6 8 7	O
7 − 10 9 8 8 4 5 5 9 3 6 4 7	XO
5 7	O
8 7	O
2 − 7 − 6 10 3 11 3 6 − 9 5 8 9 − 10 8 6 7	2XXXO
8 4 5 8 − 5 9 9 10 9 4 9 11 9 8 6 5 − 6 8 9 9 7	XXO
3 − 5 9 11 4 8 4 8 7	CO
7 − 7 − 10 7	XXO
10 7	O
10 9 10 − 10 11 5 7	XO
6 6 − 4 7	XO
3 − 6 6 − 6 5 8 8 7	CXO
7 − 2 − 4 7	X2O
9 7	O
8 4 3 4 10 6 7	O
7 − 5 7	XO
10 8 11 8 11 9 6 11 9 8 5 3 11 8 5 3 8 6 9 7	O
6 5 5 8 4 6 − 11 − 6 6 − 5 10 10 9 8 6 7	XXXO

∞ₒₒ°ₒ°∞∞∞ₒₒₒₒₒₒₒ∞°ₒₒ∞∞∞ₒ°ₒ°ₒₒₒ°ₒₒ°ₒₒₒₒ∞∞°ₒ°ₒₒₒ∞°ₒₒ°ₒ°ₒ°ₒ°ₒₒₒₒ°ₒₒ°∞∞ₒ

6 8 5 6 − **10** 5 4 8 8 5 6 9 9 2 10 − 7 − 5 11 2	XXX
10 **10 8** 11 **8** 12 5 − 9 8 4 4 4 6 8 3 6 7	XO
9 7	O
8 3 8 − 2 − 5 8 5 − 5 8 8 8 7	X2XO
10 8 5 7	O
12 − 10 7	BO
11 − 11 − 8 9 2 8 − 10 3 2 6 7	XXXO
8 7	O
6 3 7	O
9 7	O
6 8 10 5 8 8 9 7	O
7 − 7 − 6 8 7	XXO
9 3 8 10 3 9 − 8 **10** 11 6 11 3 5 5 9 4 7	XO
6 10 9 3 12 5 **4** 10 8 12 3 10 2 8 2 9 6 − 11	XX
3 − 6 4 8 8 4 10 12 8 5 9 9 7	CO
8 10 4 8 − 5 2 7	XO
9 6 7	O
6 3 6 − 9 10 3 9 − 2 − 7 − 8 7	XX2XO
7 − 5 8 6 3 8 11 7	XO
11 − 7 − 11 − **6 8 10** 5 9 8 7	XXXO
9 6 8 12 6 6 **6** 8 6 7	O
7 − **6** 5 5 11 5 5 **10** 5 7	XO
5 8 4 3 7	O
10 6 2 12 9 8 **6** 9 8 7	O
7 − 5 7	XO
7 − **6** 7	XO
9 8 12 8 3 **4** 12 **8** 10 3 10 7	O
5 8 11 **6** 6 3 7	O
8 6 4 7	O
6 7	O
11 − 12 − 6 6 − **8 6** 4 8 − 4 11 10 10 6 8 7	XBXXO
5 9 5 − 9 8 7	XO
2 − 4 4 − 4 7	2XO
2 − 5 7	2O
7 − 8 **6** 7	XO
5 12 6 3 6 6 4 11 5 − 12 − **10** 10 − 10 7	XBXO
7 − 8 **8** − 12 − 7 − 6 10 2 4 7	XXBXO

°°°°□□°□°□□■□°°°°□□□□□□°°°□°□°°°□□°□□□°□°□°°°□□°□□□□°□°□□□□□°■°□°□□°□□□°□°■°□°■°□

$$\frac{36}{44}$$
−2

61

10 5 8 9 11 10 − 10 1↑7	XO
8 2 6 3 10 6 7	O
10 5 5 9 7	O
4 7	O
8 9 6 4 4 5 4 7	O
5 7	O
11 − 3 − 7 − 2 − 12 − 8 12 5 7	XCX2BO
11 − 10 8 4 5 6 8 5 5 6 6 5 11 5 7	XO
8 11 8 − 11 − 7 − 7 − 10 12 6 6 9 4 4 10 −	XXXXX
6 10 5 7	O
7 − 5 11 4 10 7	XO
9 12 11 9 − 8 8 − 7 − 4 2 4 − 6 4 11 3 8 8 8 5 7	XXXXO
8 4 10 6 6 7	O
8 5 9 4 3 10 5 2 10 9 8 − 8 9 6 7	XO
12 − 3 − 6 5 10 6 − 11 − 8 2 4 2 11 2 6 8 −	BCXXX
7 − 10 2 8 6 2 7	XO
3 − 10 9 11 11 8 5 5 3 7	CO
5 9 3 11 8 9 6 9 10 7	O
6 11 4 7	O
6 5 8 4 9 2 11 8 7	O
8 11 6 11 7	O
8 10 7	O
6 5 9 10 5 6 − 6 5 8 8 5 4 8 2 8 6 − 6 9 4 8 9 6 −	XXX
5 12 8 12 5 − 5 9 5 − 7 − 4 6 7	XXXO

°□□□□□□ °□ °■□ °∞∞∞ °□ °∞∞∞ °□□ °■□ °∞∞∞ □□□□□□ °∞∞∞∞∞ □

$\frac{25}{27}$ +3